Chères lectrices,

C'est un programme un peu particulier que j'ai le plaisir de vous présenter ce mois-ci. Tout d'abord, vous pourrez découvrir le 2 500e roman de la collection Azur... un chiffre impressionnant, pour un événement qui ne l'est pas moins ! Et quelle meilleure façon de le célébrer qu'avec l'un de vos auteurs favoris, Emma Darcy ? Je vous conseille de ne pas manquer ce numéro exceptionnel intitulé *Un séducteur amoureux*, dans lequel vous retrouverez une histoire d'amour intense et passionnée comme seule Emma Darcy sait les écrire.

Je vous propose également de découvrir un nouveau talent : Darcy Maguire, dont la trilogie intitulée « Le bouquet de la mariée » commence ce mois-ci. Grâce à ce jeune auteur, vous allez pénétrer dans les coulisses du mariage. Non pas dans l'intimité des futurs mariés... mais chez ces « bonnes fées » qui préparent les mariages des autres. En effet, Darcy Maguire s'est intéressée à ces jeunes femmes qui déploient tout leur talent pour que la journée du mariage laisse un souvenir impérissable au jeune couple et à ses invités. Qui sont-elles ? Ont-elles, elles aussi, trouvé l'âme sœur ? Dans le premier volet intitulé *Une passion secrète*, vous ferez la connaissance de trois charmantes jeunes femmes, Tara, Skye et Riana Andrews dont la petite entreprise d'organisation en mariage, Satin Blanc, connaît un succès éblouissant. Trois sœurs qui, vous le verrez, vont trouver l'amour de la façon la plus inattendue qui soit !

Excellente lecture !

La responsable de collection

Cruelle méprise

CAROL MARINELLI

Cruelle méprise

COLLECTION AZUR

*éditions*Harlequin

Cet ouvrage a été publié en langue anglaise
sous le titre :
THE BILLIONAIRE'S CONTRACT BRIDE

Traduction française de
MARIE-NOËLLE TRANCHART

HARLEQUIN®

est une marque déposée du Groupe Harlequin
et Azur ® est une marque déposée d'Harlequin S.A.

1.

En voyant la foule élégante qui se pressait sur les marches de la plus grande église de Melbourne, Tabatha esquissa un mouvement de recul.

— Je n'ai rien à faire ici. Ils vont tout de suite se rendre compte que je ne suis pas des leurs...

Elle saisit la main d'Aiden.

— Non, on ne pourra jamais leur donner le change.

— Pourquoi pas ?

Si Tabatha paraissait accablée, Aiden, en revanche, semblait parfaitement à l'aise, et ce fut avec un sourire aux lèvres qu'il adressa un signe amical à deux ou trois personnes.

La jeune femme laissa échapper un rire nerveux.

— Regarde-moi. Tu trouves que je leur ressemble ?

Son visage s'assombrit.

— Honnêtement, j'ai l'air de faire partie de la haute société australienne ?

— On ne t'en demande pas tant, répliqua son compagnon. Tu es censée être ma petite amie. Contente-toi seulement d'être jolie, sexy, pas snob pour un sou... Et ils se diront que j'ai bien de la chance.

— Je ne suis pas une actrice, Aiden, mais une danseuse. Comment ai-je pu accepter de jouer cette comédie ?

— Tu n'avais pas le choix, ma belle, lui fit-il remarquer en l'entraînant vers l'église. N'oublie pas que j'ai joué le rôle de ton fiancé à ta réunion d'anciennes élèves.

— Je sais, répondit-elle d'un air morne.

— Et en échange, tu as promis de m'accompagner au mariage de mon cousin. C'est un prêté pour un rendu, comme on dit. C'est aussi simple que ça.

— Le plus simple aurait été de parler franchement à ta famille. Nous sommes au XXIᵉ siècle, Aiden ! Plus personne ne s'offusque lorsqu'un homme découvre son homosexualité.

— Essaie de dire ça à mon père... Ecoute, je sais ce que je fais, et toi, ne t'inquiète pas pour ton apparence, tu es superbe.

— Grâce à toi ou plutôt à ta carte de crédit. Jamais de ma vie je n'ai eu l'occasion de porter une robe aussi chère. J'ai honte que tu aies autant dépensé pour moi.

— Ça me fait plaisir, et je n'allais pas te jeter dans ce panier de crabes sans une robe griffée.

Il la dévisagea en esquissant un sourire rassurant.

— Tout se passera bien, Tabatha. Je te le promets.

Elle prit place sur un banc, à côté d'Aiden, et jeta un coup d'œil discret autour d'elle en cessant de regretter la fortune que son compagnon avait dépensée pour la métamorphoser en richissime femme du monde.

La nuance de sa robe en mousseline de soie correspondait exactement à celle de ses cheveux blond vénitien. Quant à son sac et ses sandales à talons hauts, ils étaient couleur corail, tout comme ses lèvres et le vernis de ses ongles.

Corail ! Jamais Tabatha ne se serait avisée de choisir une telle teinte avec ses longues boucles d'or foncé, son visage opalin et ses immenses yeux verts... Pourtant, les vendeuses qui l'avaient encouragée à oser ce coloris avaient eu bien raison.

La vaste nef de l'église se remplit peu à peu de gens riches et importants. Le bon goût régnait en maître et la plupart des femmes portaient des toilettes d'une rare élégance. Quelques-unes se distinguaient toutefois en affichant une vulgarité tapageuse très « nouveau riche ».

Sarcastique, Aiden s'amusait à les montrer discrètement du doigt.

Une créature coiffée d'un immense chapeau vint s'asseoir devant Tabatha. Sa grande taille ne semblait pas la déranger car elle n'avait pas hésité à se jucher sur des sandales aux talons invraisemblables.

— Je ne vais plus rien voir, murmura Tabatha en adressant une moue contrariée à son compagnon.

Mais lorsqu'elle reconnut Amy Dellier, un *top model* de renommée internationale, elle resta stupéfaite.

Puis toute l'assemblée se leva quand la mariée fit son entrée dans l'église pour remonter l'allée centrale au bras de son père.

Tabatha, qui avait assisté à plusieurs mariages cet été-là, ne lui prêta guère attention, trop fascinée qu'elle était par la présence du célèbre mannequin. Elle ne se lassait pas d'admirer son profil exquis, son teint sans défaut, ses sourcils au dessin parfait, ses lèvres de rêve, ses yeux aigue-marine, frangés de cils interminables...

Amy Dellier était d'une rare beauté, et elle se sentit soudain bien ordinaire à côté d'elle, malgré sa robe coûteuse.

— Excusez-moi...

Une voix masculine, sensuelle et un peu rauque la ramena à la réalité. Elle retint sa respiration en découvrant l'homme qui essayait de passer devant elle. Si Amy Dellier était la perfection au féminin, il l'était, lui, au masculin.

Tabatha retint sa respiration et ne put s'empêcher de le détailler discrètement de la tête aux pieds. Ses cheveux étaient foncés, son visage hâlé avec un nez légèrement aquilin, un menton volontaire, et des yeux d'un bleu si profond qu'ils paraissaient presque noirs... Quant à son corps d'athlète, il était parfaitement mis en valeur par un élégant costume à la coupe parfaite.

Elle recula légèrement pour lui laisser le passage.

— Merci, murmura-t-il avant de trébucher sur le sac corail qu'elle avait posé à ses pieds.

Quand il lui saisit le bras pour recouvrer son équilibre, une fragrance poivrée d'after-shave l'enivra. Troublée, elle ne put refréner la rougeur qui lui colorait les joues.

L'inconnu adressa un sourire à Aiden avant de contourner le banc pour prendre place au côté d'Amy Dellier. Cette dernière s'empressa de glisser sa main dans la sienne.

Tabatha éprouva une vive déception.

« Qu'est-ce que tu t'imagines ? se raisonna-t-elle. Qu'un homme comme lui n'a pas de femme dans sa vie ? »

La cérémonie commença...

Tabatha n'y accorda qu'un intérêt modéré, ne parvenant pas à détacher son regard de cet homme beau comme un dieu. Elle admira de nouveau son profil, ses larges épaules, et la manière dont ses cheveux noirs tombaient sur sa nuque bronzée. Il était si grand qu'Amy Dellier paraissait presque petite à son côté.

Remarquant la fascination que cet homme inspirait à sa soi-disant fiancée, Aiden profita du moment où les chœurs entamaient un cantique pour se pencher vers elle.

— Laisse tomber, lui chuchota-t-il.

Tabatha feignit de ne pas comprendre.

— Comment ça ?

— C'est mon frère Franck.

— Qui ?

— Ne fais pas l'innocente, Tabatha. Tu sais parfaitement de qui je parle. Méfie-toi de lui.

— Pourquoi ?

— Franck est le genre d'homme à laisser une femme au bord du chemin sans même se retourner, après l'avoir réduite en miettes.

— Ne t'inquiète pas. Si tu crois que je m'intéresse à ton frère !

— En tout cas, tu ne pourras pas me reprocher de ne pas t'avoir prévenue.

Le chœur se tut, évitant à Tabatha de répondre.

Elle fit mine de s'intéresser à la cérémonie, tout en contemplant à la dérobée celui dont elle connaissait à présent le prénom.

Jamais de sa vie elle n'avait éprouvé une telle attirance physique pour un inconnu. Néanmoins, elle restait lucide, sachant parfaitement que rien n'était possible entre eux. Ils vivaient dans des mondes bien trop différents.

Après la cérémonie, les convives se retrouvèrent dans les jardins botaniques de Melbourne, où sous une tente dressée pour l'occasion, on servait du champagne et des jus de fruits.

Les deux photographes que Tabatha avait déjà remarqués à l'église continuaient à mitrailler les mariés et leurs invités.

Après lui avoir tendu une flûte de champagne, Aiden l'entraîna vers un petit groupe.

— Viens, il faut que je te présente à mes parents.

En dépit des descriptions peu flatteuses qu'il lui en avait fait, elle les trouva immédiatement sympathiques.

— Quel joli mariage, observa chaleureusement Marjory Chambers. Mais je ne comprendrai jamais pourquoi Simone a choisi une tenue pareille. A-t-on jamais vu une mariée se présenter à l'église avec une robe fendue jusqu'en haut des cuisses ? Qu'en penses-tu, Jeremy ?

Son mari eut un geste indifférent. Il était le portrait de Franck, en plus mûr, naturellement. Tabatha lui retrouva ce même visage hautain, ces mêmes yeux d'un bleu si foncé qu'ils paraissaient noirs.

— Simone ressemble à toutes les mariées que j'ai vues ces derniers temps, bougonna-t-il.

— Oui, cette robe est tout à fait dans la ligne de ce qui se fait en ce moment, renchérit Tabatha. Je suis allée à tant de mariages cette année que je peux vous le confirmer.

— Combien ? demanda Jeremy Chambers.

— Une dizaine. Non, j'exagère…

Elle fit un rapide calcul.

— Six, exactement. La plupart de mes amies ont décidé de sauter le pas en même temps.

— Ce n'est que le commencement, soupira Jeremy. Après, vous aurez droit aux baptêmes. Puis avant même que vous ayez le temps de vous retourner, les enfants de vos amis se marieront à leur tour. Une ronde sans fin, quoi...

— La ronde de la vie, souligna Tabatha.

Le père d'Aiden lui adressa un regard étonné.

— Oui, c'est cela, la ronde de la vie, répéta-t-il. Marjory adore les mariages. Moi, je m'y ennuie, mais il paraît que c'est mon devoir d'y assister...

Il posa un regard las sur la foule qui se pressait sous la tente.

— C'est également mon devoir d'aller saluer nos invités.

Il adressa un sourire chaleureux à son interlocutrice.

— J'ai été très heureux de vous rencontrer, Tabatha.

Sur le point de lui serrer la main, il se ravisa et l'embrassa sur la joue, à la grande stupéfaction de son fils.

— Ce n'est pas possible ! s'exclama ce dernier, une fois son père parti. D'habitude, il n'aime personne. Tu as réussi à le dérider.

— Il est charmant, remarqua-t-elle. Et je ne peux pas croire un mot de ce que tu m'as raconté à son sujet.

— Il est charmant, à condition qu'on ait la chance de lui plaire, souligna Aiden. Moi, je suis la brebis galeuse de la famille. Le fils chéri, c'est Franck... Et quand on parle du loup...

A quelques pas d'eux, Marjory embrassait son fils aîné.

— Franck ! s'enthousiasmait-elle. Tu as donc pu arriver à te libérer à temps ! Où étais-tu donc ? Encore au bureau ?

— Où vouliez-vous que je sois ?

— Je sais que tu es un bourreau de travail, observa sa mère en fronçant les sourcils ; mais aujourd'hui, je ne veux pas entendre parler des sociétés Chambers. Entendu ?

Sans attendre sa réponse, elle poursuivit :

— Tu connais Tabatha ?

Le regard de Franck se posa sur la jeune femme.

— Oui, nous nous sommes rencontrés brièvement à l'église, dit-il en lui serrant la main.

— Où est Lucy ? demanda Marjory.

— Amy ! rectifia le fils aîné. Je crois qu'elle est allée se remaquiller.

— Elle est adorable. Elle ferait une si ravissante mariée...

— La subtilité n'a jamais été votre fort, mère, remarqua Franck en esquissant un sourire embarrassé.

— Il faut bien que je pousse à la roue, répondit sa mère. J'ai deux fils ayant tous les deux dépassé trente ans. Et pas l'ombre d'un mariage en vue... Quant aux petits-enfants, je crois que je pourrai attendre long-temps. Quand je pense que ta cousine Simone vient de se marier, alors qu'elle n'a pas vingt ans ! Je comprends que sa mère soit contente.

— Elle est surtout ravie que sa fille ait réussi à accrocher quelqu'un d'assez riche pour payer leurs dettes sans sourciller, ironisa Franck. Et en ce qui concerne

Amy, si vous n'arrivez même pas à vous souvenir de son prénom, c'est mauvais signe.

— Ton père serait très heureux si tu te mariais.

Cet argument laissa Franck silencieux. Son visage s'était brusquement tendu.

— Je t'assure, insista sa mère. C'est son souhait le plus cher.

— Quel est ce souhait ? demanda Amy, en les rejoignant.

Dans un geste possessif, elle prit le bras de son amant.

— Alors ? insista-t-elle.

— Rien d'important.

Tout en se dégageant, Franck adressa un regard noir à sa mère.

L'arrivée impromptue du photographe créa une diversion.

— J'aimerais prendre un cliché de tous les Chambers réunis, proposa-t-il.

Amy sortit un petit miroir de son sac pour une dernière retouche de rouge à lèvres, tandis que le fils cadet prenait Tabatha par la main.

— Tu viens ? s'enquit-il.

— Je ne fais pas partie de la famille, objecta-t-elle.

— Quelle importance ?

— Je t'en prie, Aiden. Ce petit jeu ne m'amuse déjà pas beaucoup, n'en rajoute pas.

— Bon, tant pis, soupira-t-il. Je peux te laisser seule cinq minutes ?

— Evidemment.

Tout en buvant son champagne à petites gorgées, Tabatha regarda les Chambers prendre place au côté de leurs cousins. Jeremy avait encore fière allure, mais c'était Franck qui s'imposait, autoritaire, sûr de lui, presque arrogant.

A son côté, Aiden avait l'air aussi doux qu'un agneau.

Amy la rejoignit.

— Alors vous aussi, vous avez été reléguée au rôle de spectatrice ? observa-t-elle.

Stupéfaite de constater qu'une personne aussi célèbre lui adressait la parole, Tabatha marqua un temps avant de répondre.

— Je suis une nouvelle venue, dit-elle avec légèreté. Il n'y a pas de raison pour que je figure dans les albums familiaux. Ce serait un peu tôt.

— Et pour moi, c'est trop tard.

Tabatha la dévisagea et put lire la rage dans son regard.

— Il vient de me plaquer. Moi ! s'emporta-t-elle.

Des larmes se mirent à couler sur son visage trop parfait.

— Ah, les Chambers ! s'écria-t-elle dans un sanglot.

Elle pivota sur elle-même et voulut partir en courant, mais avec ses talons hauts, son départ fut beaucoup moins spectaculaire qu'elle ne l'aurait voulu.

Incapable de trouver les mots pour lui manifester sa compassion, Tabatha la regarda s'éloigner en trébuchant.

— Que voulez-vous, c'est l'effet que j'ai sur les femmes, ironisa Franck en s'approchant. Elles me fuient.

Tabatha sursauta et leva les yeux vers lui. Bien que cette situation ne la regardât pas, elle ne put s'empêcher de le questionner.

— Que lui avez-vous dit pour qu'elle s'en aille ainsi ?

— Pas grand-chose. Je lui ai simplement fait remarquer qu'il n'y avait aucune raison pour qu'elle soit sur cette photo puisque, avant même qu'elle ne soit développée, elle n'aurait plus rien à voir avec les Chambers.

— Quelle délicatesse ! Vous n'auriez pas pu lui annoncer votre rupture plus agréablement ?

Il haussa les épaules.

— J'ai essayé, mais elle n'a rien voulu entendre. Une femme comme Amy ne peut pas admettre qu'un homme ne veuille plus d'elle.

— Je trouve que vous l'avez traitée de manière abjecte.

Franck la toisa avec amusement.

— Eh bien, vous ne mâchez pas vos mots ! Vous êtes toujours aussi prompte à vous mettre en colère ? La réputation des rousses serait-elle donc justifiée ?

Il prit une mèche de ses cheveux entre ses doigts et feignit de l'examiner avec intérêt.

— A moins que cette couleur magnifique ne vienne d'un colorant ?

— Bien sûr que non.

Il était si près d'elle que Tabatha aurait pu compter les minuscules taches saphir qui illuminaient les prunelles de ses yeux.

Refusant de se laisser troubler davantage, elle le repoussa d'un geste brusque. Mais quand leurs mains se frôlèrent, elle eut l'impression de recevoir une décharge électrique. Elle sentit aussitôt ses joues s'empourprer.

— Vous êtes odieux, déclara-t-elle en masquant son trouble. Comment les femmes peuvent-elle vous supporter ? Ce n'est pas parce que vous êtes riche et séduisant que vous pouvez les traiter comme...

Il éclata de rire.

— Ah, bon ? Je suis séduisant ?

— Vous le savez parfaitement. Et ça n'excuse pas votre attitude.

— Etant donné que nous avons fait connaissance, il y a un peu moins d'une heure, vous n'avez pas perdu de temps pour vous faire une opinion à mon sujet. Et apparemment, pas une très bonne. Pourquoi ?

Pourquoi, en effet, sa réaction avait-elle été aussi violente ? Pourquoi lui en voulait-elle d'avoir rompu avec cette femme alors qu'elle ne les connaissait pas plus l'un que l'autre ?

— Je n'aime pas que l'on blesse les gens, marmonna-t-elle en guise de réponse.

— C'est son amour-propre qui a été blessé, pas elle.

— Elle pleurait. Elle était très secouée.

— Sans doute, répondit-il avec insolence. Amy vient de perdre le meilleur amant qu'elle ait jamais eu.

— Vous êtes vraiment odieux ! s'indigna Tabatha alors que des images suggestives effleuraient son esprit.

Des images un peu trop évocatrices, et sur lesquelles elle préféra ne pas s'attarder.

— Ma franchise serait-t-elle trop brutale pour vos chastes oreilles ? se moqua-t-il. Dans ce cas, vous m'en voyez désolé.

Puis son ton se radoucit.

— Amy et moi avons eu de bons moments ensemble, expliqua-t-il. Le problème est qu'elle demandait davantage...

Il avisa la pelouse encore mouillée d'un récent arrosage.

18

— Vous me voyez mettre un genou à terre, dans l'herbe humide, pour demander sa main ?

— Elle voulait que vous l'épousiez ?

— Oui.

— Comment pouvez-vous envoyer promener une femme sans la moindre pitié alors qu'elle vous aime ?

Le rire moqueur de Franck retentit de nouveau.

— Vous pensez qu'elle m'aimait ?

— Naturellement, puisqu'elle voulait vous épouser.

— Vous êtes d'une naïveté déconcertante. Amy attendait de moi ce que vous attendez de mon frère : de l'argent et une position sociale. L'amour n'entre pas en ligne de compte dans de tels calculs.

Comment pouvait-il parler ainsi ? Comment pouvait-il la juger aussi mal ?

— L'argent d'Aiden ne m'intéresse pas, certifia-t-elle.

— Je vous en prie…

— L'argent des Chambers ne m'intéresse pas, répéta-t-elle en martelant les syllabes.

Elle chercha Aiden du regard et l'aperçut en grande conversation avec la mariée. Ce n'était visiblement pas le moment de lui demander son aide, elle allait devoir se débrouiller seule. Et ce n'était pas une tâche aisée quand on avait affaire à un personnage de l'acabit de Franck Chambers.

— Et vous faites quoi exactement, dans la vie ? demanda-t-elle innocemment.

— Comment ça ?

— Vous travaillez, je suppose ?

— Oui, pour les sociétés familiales, vous ne le saviez pas ? s'étonna-t-il.

— Si, prétendit-elle. Je me souviens maintenant qu'Aiden a mentionné quelque chose de ce genre...

En réalité, il n'avait pas pensé à lui donner beaucoup de détails concernant sa famille et les siens.

— Où avez-vous fait la connaissance de mon frère ? s'enquit Franck.

— Dans une soirée, chez des amis.

— Dans une soirée, bien sûr ! Ça pouvait difficilement être au bureau !

— Et pourquoi donc ? rétorqua-t-elle, un peu désorientée.

— Je parie, tout comme Aiden, que la seule mention du mot « travail » vous fait fuir.

— Je travaille, et lui aussi, protesta-t-elle. Aiden est un excellent artiste.

— Ah, oui ! Et quel artiste ! Et vous, puisque vous prétendez travailler... Quel est votre métier ?

Tabatha hésita à répondre. D'ordinaire, elle adorait parler de son art, mais au vu de ses sarcasmes, elle devinait que Franck Chambers ne serait pas impressionné comme l'étaient la plupart des gens en apprenant sa profession.

— Je suis danseuse, dit-elle tout de même.

— Tiens donc.

Il la détailla posément de la tête aux pieds, puis il haussa un sourcil, tandis qu'elle se sentait devenir écarlate.

A quoi pensait-il ?

— C'est effectivement ma profession, précisa-t-elle. Je fais actuellement partie du spectacle de John Conway, au théâtre des Variétés.

— Danse classique ?

— De formation. Mais je préfère la danse moderne.

Elle planta un regard sévère dans le sien.

— Vous méprisez votre frère parce qu'il est artiste, et vous me méprisez, moi aussi, parce que je le suis également. Mais au moins, ce que nous faisons rend les gens heureux. Nous leur donnons du plaisir.

— Je n'en doute pas instant, acquiesça-t-il en s'attardant cette fois sans complexe sur ses courbes.

Un serveur s'approcha d'eux. Tabatha échangea sa flûte vide contre une pleine pour se donner une contenance.

— Ne vous inquiétez pas, déclara brusquement Franck d'une voix cinglante, quand le garçon se fut éloigné. Une fois la bague au doigt, vous pourrez ranger vos chaussons de danse pour toujours.

— J'adore mon travail, rétorqua-t-elle. Et si vous pensez que je fréquente Aiden dans l'espoir de faire, un jour, partie de votre charmante famille, vous vous trompez.

— Nous verrons bien, murmura-t-il, impassible.

— Alors ? Vous avez fait connaissance ? s'enquit Aiden en se joignant à eux, sans même se rendre compte que l'ambiance était on ne peut plus glaciale.

Il prit Tabatha par la taille et lui déposa un baiser fraternel sur la joue.

— Elle est adorable, non ?

— Adorable, c'est le mot, mentit son aîné d'un ton léger. Maintenant, si vous voulez bien m'excuser...

Il adressa un bref signe de tête à son interlocutrice.

— C'était un plaisir de faire votre connaissance, Tabatha.

« Un plaisir ? Certainement pas ! » songea-t-elle. L'expérience avait été assez déplaisante au contraire. Quoique…

2.

Le dîner de noces dura une éternité.

Puis, avec le dessert, vint le moment des discours.

Tabatha commençait à trouver ces festivités bien longues.

Le repas avait été délicieux, et pourtant elle n'avait presque rien mangé. En revanche, elle avait trop bu, probablement pour oublier les remarques cinglantes de Franck.

Comment pouvait-il oser insinuer qu'elle en voulait à l'argent des Chambers, alors qu'elle n'avait fait que rendre service à Aiden ?

Tout le monde dansait, à présent, excepté elle et Aiden, dont la nervosité allait croissant. Il était évident que le secret qu'il cachait à sa famille le rendait de plus en plus mal à l'aise. Comme Tabatha, il avait lui aussi tendance à boire trop de champagne, et au lieu de ne pas la quitter de toute la soirée, comme il le lui avait promis, il restait dans son coin, ne se déplaçant que pour aller au buffet.

— Attention, tenta-t-elle de le raisonner alors qu'il vidait une fois de plus le contenu de son verre.

— J'ai besoin de ça pour faire face, maugréa-t-il.

Puis il la dévisagea en lui adressant un sourire confus.

— Je ne suis pas le plus galant des chevaliers servants, ce soir.

— C'est le moins qu'on puisse dire.

— Ils m'énervent tellement ! Tu ne peux pas t'imaginer... Comment les trouves-tu ?

Elle marqua un temps avant de répondre.

— Je m'attendais à rencontrer des gens importants et fortunés, mais pas à ce niveau, c'est franchement intimidant.

La soirée avait lieu dans les vastes salons du Windsor Hotel, le plus beau palace de Melbourne, où les Australiens les plus influents semblaient s'être donné rendez-vous.

— Tu aurais tout de même pu me prévenir pour que je sache à quoi m'attendre, lui reprocha-t-elle.

— Te prévenir ? J'ai déjà eu assez de mal à te décider. Si j'avais eu le malheur de te faire une description précise des gens qui sont ici, tu aurais refusé de m'accompagner.

Aiden avait raison, Tabatha se sentait totalement déphasée dans ce monde élitiste où le champagne millésimé coulait à flots.

Il la dévisagea, inquiet.

— Ça ne va pas ? Tu as des ennuis ?

Elle agita négativement la tête.

— Tu n'es pas comme d'habitude, insista-t-il. Ne le nie pas. Nous sommes amis depuis assez longtemps pour pouvoir parler ouvertement.

Plutôt que de répondre, elle se contenta de tortiller ses boucles cuivrées d'un air soucieux.

— C'est ta grand-mère ?

En la voyant se mordre la lèvre, il devina qu'il avait vu juste.

— Qu'a-t-elle encore fait ?

— Elle a hypothéqué sa maison pour payer ses dettes de jeu, soupira Tabatha.

— Mais tu m'as déjà dit ça le mois dernier, s'étonna-t-il. Tu l'as même accompagnée à la banque pour qu'elle fasse cet emprunt. Elle n'arrive pas à le rembourser ?

— Je n'ai aucune idée de la manière dont elle s'y est prise, expliqua Tabatha ; mais elle a réussi à mettre la main sur l'argent du prêt hypothécaire. Elle a aussitôt filé au casino, et je peux t'assurer qu'il ne lui a pas fallu longtemps pour tout dilapider. Du coup, nous nous retrouvons dans des difficultés pires qu'avant, le montant de la dette ayant pratiquement doublé.

Son interlocuteur fut sur le point de manifester sa compassion, mais elle poursuivit :

— C'est ma faute, j'aurais dû mieux la surveiller. Dès qu'elle passe devant un casino, elle perd la tête.

— Tu ne peux pas la tenir en laisse, ni la traiter comme une enfant irresponsable, observa Aiden.

— Elle l'est, malheureusement, souligna Tabatha. Mais je l'aime et je n'ai pas d'autre famille. C'est elle qui m'a élevée après la mort de mes parents, et maintenant qu'elle est âgée, je dois m'occuper d'elle. J'ai demandé un nouveau prêt... Si j'avais été secrétaire ou infirmière, il n'y aurait aucun problème, mais lorsque l'on est artiste, on devient aussitôt suspect aux yeux des banquiers.

— Je peux t'aider...

— Non !

— Tabatha, c'est si facile, pour moi.

— Avec l'argent des Chambers ? Non merci !

Aiden lui décocha un regard triomphant.

— Je parlais du mien. Je n'ai pas encore eu le temps de te le dire, mais j'ai vendu un tableau, hier.

Elle marqua un temps de surprise avant de se jeter à son cou.

— Oh ! Aiden ! C'est formidable !

— Alors, laisse-moi t'aider, Tabatha. Et si tu y tiens absolument, tu me rembourseras plus tard.

Un large sourire illumina son visage.

— Nous sommes en train d'escalader l'échelle qui mène au succès, toi et moi, ajouta-t-il. Je le sens.

— Toi, peut-être, mais en ce qui me concerne, ce serait plutôt la dégringolade. Je vieillis et ça devient de plus en plus difficile de décrocher des engagements.

— On ne dit pas « je vieillis » quand on n'a que vingt-quatre ans.

— Tu te trompes de cinq ans. Je n'ai pas vingt-quatre ans, mais vingt-neuf. Et une danseuse de vingt-neuf ans n'est plus de première jeunesse.

— Tu es folle !

— T'emprunter de l'argent est une chose. Faut-il encore pouvoir te rembourser…

— C'est sans importance, Tabatha. Je t'en prie, laisse-moi t'aider.

— Non, Aiden. Je dois me débrouiller seule.

Il soupira et jeta un coup d'œil autour de lui.

— Voir tous ces gens richissimes quand ta grand-mère n'a plus un sou, ça doit te mettre en colère. Remarque, ce n'est pas forcément une bénédiction d'être riche. Comment savoir si ceux qui prétendent être de vos amis n'en veulent pas seulement à votre argent ?

Il esquissa un sourire cynique.

— Imagine que les Chambers soient ruinés, demain. Tout le monde les fuirait. Ceux qui resteraient se compteraient à peine sur les doigts d'une main.

— Ton frère est persuadé que je m'intéresse à toi pour ton argent.

— Je ne vais pas défendre Franck, mais il a de bonnes raisons pour se méfier, surtout quand les femmes sont concernées. Il a eu une très mauvaise expérience, il y a peu de temps.

Il l'enveloppa d'un regard soucieux.

— Evite-le, Tabatha. Si une femme a le malheur de tomber amoureuse de lui, elle aura le cœur brisé.

— C'est la deuxième fois que tu me mets en garde contre ton frère.

— Parce que je le connais.

Il la prit par la taille.

— N'oublie pas que tu es venue avec moi pour me servir d'alibi. Ne gâche pas tout en lui faisant les yeux doux, s'il te plaît.

Tabatha recouvra sa bonne humeur.

— Ne t'inquiète pas, assura-t-elle. Je sais déjà ce qu'il pense de moi. Et ce n'est pas très flatteur. Plutôt que de lui faire les yeux doux, je lui adresserais volontiers des regards assassins.

— Quand je pense qu'il s'imagine que tu en veux à mon argent ! s'exclama Aiden en secouant la tête. S'il pouvait deviner les raisons de ta présence ici...

— Tu crois qu'il ne soupçonne rien ?

— Je ne sais pas. Une fois, il a essayé d'avoir une conversation sérieuse avec moi, le genre grand frère qui veut aider son cadet. Il m'a même franchement demandé si j'étais homosexuel.

— Et alors ?

— Bien sûr que non, ai-je prétendu. Quelle idée !

— Pourquoi tu ne lui as pas dit ce qu'il en était ? Il te tendait une perche, c'était le moment de parler. Tu crois qu'il en aurait fait une histoire ?

— Ce n'est pas son style, il est plutôt tolérant.

— Alors, pourquoi ne le lui as-tu pas dit ? insista-t-elle.

— Ce n'était pas le moment. Mon père venait d'avoir un infarctus et Franck avait assez de soucis comme ça. C'est sur ses épaules que tout repose, tu sais.

Tabatha le dévisagea, intriguée.

— Comment ça ?

— Il dirige toutes les sociétés Chambers. Mon père n'est pas assez bien pour s'en occuper.

— Ton père semble en pleine santé.

— En apparence, seulement. En réalité, il devrait subir un quadruple pontage. Mais l'anesthésie pourrait lui être fatale, aucun chirurgien n'ose tenter l'opération. Son cœur est en si mauvais état que ça pourrait le tuer d'apprendre que je suis… ce que je suis.

— A notre époque…

— Mon père a encore les réactions d'un homme du XIXᵉ siècle dans certains cas. Franck, en revanche, peut tout entendre. Mais à quoi bon lui donner d'autres tracas ?

Il esquissa un sourire désabusé.

— Il vaut mieux que personne n'en sache rien.

— Rassure-toi : ton frère n'a aucun soupçon.

Tabatha chercha Franck du regard et constata avec une pointe de déception qu'il était nulle part. La mise en garde d'Aiden lui revint à la mémoire.

« Quelle femme pourrait se plaindre d'avoir le cœur brisé par un tel homme ? » songea-t-elle en buvant une gorgée de champagne.

Aiden, quant à lui, était passé du champagne au cognac. Il avait fait danser sa cavalière deux ou trois fois avant de retourner près du buffet. Et, à ce rythme, il serait bientôt totalement ivre.

Tabatha jugea qu'il était temps de l'entraîner dans la suite qui avait été retenue à leur intention, d'autant que ses sandales à talons hauts commençaient à la faire souffrir le martyre. Là-haut, elle pourrait se déchausser et regarder la télévision pendant qu'Aiden dormirait, car elle était convaincue, qu'une fois allongé il sombrerait dans un profond sommeil.

« C'est la première et la dernière fois que je me fais passer pour sa petite amie, décida-t-elle. J'étais loin de m'attendre à une telle épreuve. »

Jamais encore quelqu'un n'avait osé la soupçonner d'être intéressée.

Ses espoirs de s'éclipser discrètement se trouvèrent réduits à néant quand Marjory les rejoignit en compagnie de Franck.

— C'est donc là que vous vous étiez réfugiés, les amoureux ! constata cette dernière avec bonne humeur. Vous ne dansez pas ?

Tabatha s'efforça de sourire.

— Si, mais Aiden commence à être fatigué.

— Ce qui n'est pas votre cas, j'en suis persuadée, répliqua Marjory.

Elle se tourna vers son fils aîné.

— Franck, fais donc danser l'amie de ton frère.

Tabatha eut la certitude qu'il allait refuser, mais il la prit par la main et l'entraîna vers le groupe de danseurs. Elle regarda autour d'elle d'un air affolé, prête à fuir. Puis elle se tourna vers Aiden, l'appelant mentalement au secours. Hélas, sans même la regarder, il vida un énième verre cognac.

Comme s'il devinait qu'elle était sur le point de lui fausser compagnie, Franck lui serra la main un peu plus fort, et une fois arrivé sur la piste, il l'enlaça. Son souffle tiède lui balaya le visage.

— Une soirée plutôt ratée pour vous, non ? murmura-t-il.

— Pas du tout, répondit-elle avec un manque évident de naturel. Pourquoi dites-vous ça ?

— Parce que vous êtes restée seule la plupart du temps.

Le fait qu'il lui ait prêté une certaine attention l'émut à un point tel qu'elle faillit fondre en larmes. Si elle s'était écoutée, elle aurait fermé les yeux et posé sa tête au creux de son épaule qui semblait si accueillante, mais grâce au ciel, elle réussit à se reprendre.

— C'est par compassion que vous me faites danser ? demanda-t-elle d'un ton sarcastique.

— Oh, non ! protesta-t-il en riant. Rassurez-vous, je ne fais rien par compassion.

— Alors je suis désolée.

— Désolée ? Et pourquoi donc ?

— Parce que votre mère vous a obligé à danser avec moi.

— Je vous en prie, ce n'est qu'une danse, une danse de rien du tout.

Une danse de rien du tout, c'est vrai. Mais qui éveillait en elle une inexplicable euphorie. Etait-ce bien ce même homme qui l'avait accusée de cupidité et qui la tenait à présent contre lui ? Un homme dans les bras duquel elle se sentait incroyablement femme. Jamais ses sens n'avaient été éveillés à ce point. Chacune des fibres de son corps vibrait.

Les yeux clos, elle s'abandonna.

Juste une danse ? Non ! C'était bien plus que cela.

3.

— Je t'en prie, viens… Montons dans la chambre…

A moitié effondré sur une table, Aiden tenait son verre entre ses mains tremblantes.

— Viens, insista Tabatha. Tu serais mieux dans ton lit. On commence à attirer l'attention.

Franck les rejoignit.

— Un problème ? demanda-t-il.

— Non, non. Tout va bien.

Elle n'osait plus le regarder en face après cette danse au cours de laquelle il avait réussi à la troubler comme elle n'aurait jamais cru possible de l'être.

— Tout va bien ? répéta-t-il avec dérision. Ça n'en a pas l'air. Il faudrait peut-être demander une civière pour qu'on le monte là-haut.

— Votre frère est un peu fatigué, ça peut arriver à tout le monde, rétorqua-t-elle, agacée par son cynisme.

Les gens étaient de plus en plus nombreux à les observer, et Jeremy Chambers s'approchait. Jugeant qu'il valait mieux éviter une discussion entre un père trop sévère et son fils à moitié ivre, Tabatha décida de surmonter son orgueil en demandant à Franck de la seconder.

— Si vous pouviez me donner un coup de main pour l'emmener dans notre chambre, dit-elle avec réticence.

— Un petit « s'il vous plaît » vous semblerait de trop ?

— Et puis quoi encore ? Vous voulez peut-être aussi que je me mette à genoux pour implorer votre aide ? C'est votre frère. Vous m'aidez ou non ?

Il lui adressa un sourire, un vrai sourire pour une fois.

— D'accord. Allons-y.

Le conduire dans la chambre était plus facile à dire qu'à faire. S'ils réussirent à faire marcher Aiden à peu près droit pour l'emmener hors des salons, une fois dans l'ascenseur, il s'écroula sur l'épaule de son frère en ronflant bruyamment.

Heureusement que Franck était là, songea Tabatha quand il fallut traîner Aiden dans le couloir. Sans lui, elle n'aurait vraiment pas su quoi faire.

Franck poussa son cadet ivre mort sur le grand lit.

— Voilà ! dit-il.

— Merci, murmura Tabatha.

— Si vous n'aviez pas eu une chambre ici, il aurait fallu appeler un taxi, observa-t-il. Vous savez, ce n'est pas la première fois que je viens à son secours, et ce n'est sûrement pas la dernière.

Il examina Tabatha d'un air moqueur.

— J'aurais pensé qu'il s'était calmé avec une existence plus stable, l'amour d'une gentille femme…

— Moi ? Une gentille femme ? ironisa-t-elle. Vous ne disiez pas ça tout à l'heure.

— Je suis sûr que vous avez des bons côtés.

Ils se trouvaient dans l'une des suites les plus spacieuses du Windsor, mais la présence de Franck était telle qu'elle eut l'impression que la chambre était minuscule.

Aiden l'avait pourtant prévenue. Cet homme était dangereux... pour elle, tout au moins. Dangereux pour ses sens comme pour son cœur.

L'instinct de conservation lui commandait de fuir, mais elle n'en avait pas vraiment envie. Elle aurait voulu trouver une réplique brillante pour lui démontrer qu'elle dominait parfaitement la situation. Ce qui, hélas, fut loin d'être le cas.

Que lui arrivait-il ? D'ordinaire, elle était très sûre d'elle. Elle savait toujours ce qu'elle voulait et ce qu'elle faisait. Et à présent, il suffisait d'un seul de ses regards pour la réduire à l'état d'une adolescente effarouchée dont le cœur battait à tout rompre...

Elle retira les chaussures de son prétendu compagnon pour se donner une contenance et l'enveloppa d'une couverture.

Franck ne bougeait pas.

Pourquoi ne partait-il pas ? Il n'avait plus rien à faire ici.

Aiden entrouvrit un œil et tenta de s'asseoir.

— Tabatha... Je...

— Essaie de dormir, lui intima-t-elle.

— Je... Je suis désolé, je t'assure...

Il retomba sur les oreillers.

— J'ai bien réfléchi... Je... Je vais t'épouser, c'est la meilleure solution.

Franck se raidit en l'entendant.

— Je vais t'épouser, répéta Aiden... Ça arrangera tout.

34

— Allons, ne dis pas de bêtises. Dors, insista-t-elle.

Aiden ferma les yeux. Mais son frère le secoua sans ménagement.

— En voilà une façon de demander une fille en mariage.

— Ça... ça arrangerait tout, bredouilla Aiden. Père serait content et...

Il tenta d'adresser un regard à Tabatha.

— Et toi, tu pourrais rembourser tes dettes de jeu. Je sais que ça te tracasse. Alors, si je t'épousais...

La fin de sa phrase mourut sous ses ronflements, mais dépeignit toutefois Tabatha sous le jour le plus sombre et le plus faux qui soit.

— Il mélange tout, voulut-elle expliquer, atterrée.

— Mais bien sûr.

— Les dettes de jeu ne sont pas...

D'un geste, Franck l'interrompit.

— Vos problèmes personnels ne m'intéressent pas, mademoiselle Reece. En revanche, je vais vous dire une chose que je ne me donnerai pas la peine de répéter.

Sa voix était devenue menaçante.

— Si vous profitez de la faiblesse de mon frère pour tenter de vous faire épouser, je n'hésiterai pas à révéler ce que vous êtes : un vautour, un rapace. Car, manifestement, seul l'intérêt vous guide.

— Vous n'avez rien compris.

— Oh, si ! Vous vous imaginiez que les Chambers allaient vous tirer du pétrin dans lequel vous vous êtes mise.

— Pas du tout.

D'ordinaire, Tabatha s'exprimait et se défendait sans aucune difficulté, mais ce soir-là, elle en fut incapable.

La proximité de Franck annihilait toutes ses capacités. Quand il se rapprocha d'elle, un flot d'adrénaline la submergea.

Du bout d'un doigt, il caressa son cou, puis sa nuque…

Le cœur battant, hypnotisée, elle attendit un baiser qui ne vint pas. Il se pencha simplement pour examiner la griffe de sa robe : un carré blanc satiné portant le nom d'un couturier célèbre. Un rire méprisant lui échappa.

— C'est le prix pour sortir avec vous ? s'enquit-il.

Comme elle ne comprenait pas, il ajouta :

— Aiden a plusieurs cartes de crédit à sa disposition, mais je signe le détail de ses dépenses à la fin de chaque mois. J'aurais dû deviner plus tôt que cette robe vous était destinée. D'ailleurs, il n'y a que ça de bien chez vous.

— Sortez d'ici !

— Tout de suite. Quant à vous, dès demain, dehors ! Je ne veux plus jamais entendre parler de vous !

Une fois Franck parti, Tabatha se laissa tomber sur un canapé. Ses membres tremblaient et ne la portaient plus.

Cet homme était odieux, mais en même temps, il avait eu sur elle un impact incontrôlable. Il avait réussi à éveiller en elle des passions, des ardeurs qu'elle ne se connaissait pas. Hélas, à présent, il s'imaginait non seulement qu'elle s'intéressait à Aiden pour son argent, mais qu'elle était également une joueuse invétérée couverte de dettes.

Elle était en train de se morfondre en contemplant le plafond d'un air morne quand elle se souvint brusquement avoir oublié son sac dans l'un des salons de réception.

Elle se rua vers les ascenseurs et s'arrêta brusquement en apercevant une haute silhouette qui arrivait dans l'autre sens. Il n'y avait au monde qu'un seul être aussi grand, aussi imposant, aussi...

— C'est ça que vous alliez chercher ? demanda Franck en agitant son sac couleur corail. Je viens de le trouver en bas, sur une table.

— Merci.

— On prend un dernier verre ?

Leurs regards se croisèrent, s'accrochèrent. Elle hésita à répondre, le cœur battant.

— Si vous voulez, s'entendit-elle marmonner.

Elle savait que ce dernier verre ne serait pas pris au bar et qu'elle aurait dû le refuser, mais elle le suivit pourtant dans sa suite, sans la moindre hésitation.

Franck n'était pas retourné immédiatement dans les salons, quelques glaçons flottaient dans un gobelet de whisky posé sur une table basse.

— De l'alcool a jailli la lumière ! déclara-t-il.

Elle le fixa, sans comprendre.

— J'étais assis là, en train d'essayer de trouver un prétexte pour vous revoir, expliqua-t-il. J'hésitais à vous téléphoner, et je me suis brusquement souvenu que vous étiez montée sans votre sac.

Elle fronça les sourcils.

— Pourquoi vouliez-vous me revoir ? Vous aviez encore des choses désagréables à me dire ?

— Pour le moment, non.

Elle retint sa respiration.

Etait-il possible que Franck Chambers soit attiré par elle ?

Non, c'était impossible, se raisonna-t-elle.

— Pourquoi vouliez-vous me revoir ?

— Ce n'est pas évident ? demanda-t-il.

Le trouble de Tabatha décupla lorsqu'elle vit le désir assombrir les sublimes yeux bleus.

— Je croyais que vous me détestiez, observa-t-elle.

— Vous détester ?

Il laissa échapper un rire léger.

— Le sentiment que j'éprouve pour vous en ce moment est beaucoup plus primitif encore.

Franck Chambers pouvait avoir toutes les femmes qu'il voulait, et c'était elle qu'il avait choisie, pour ce soir du moins.

— Viens, dit-il.

Tabatha savait qu'elle aurait dû prendre son sac et fuir, mais elle s'avança lentement vers lui, submergée par le désir. Elle ne se reconnut pas. Cette situation, cette nuit, était étrange, presque irréelle, et l'érotisme la dominait…

— Danse, lui ordonna-t-il.

Elle lui tendit les mains, espérant ainsi retrouver la magie de leur unique danse.

— Non. Danse pour moi.

Sans la quitter des yeux, il commanda la stéréo à distance. Le son déchirant d'un violon s'éleva dans la pièce, ponctué par des basses.

— Je ne peux pas, balbutia-t-elle. Vous vous moquez de moi.

— Je te promets que ça n'est pas le cas. Je veux simplement te voir danser comme tu le fais quand tu es seule.

Comment avait-il pu deviner qu'elle dansait seule ?

Elle se sentit devenir écarlate. Et malgré tout, hypnotisée par ce regard sombre qui ne la quittait pas, elle défit d'une main tremblante les boucles de ses sandales et se laissa emporter par la musique.

Quand le violon se tut, elle rencontra de nouveau son regard, un regard plus lourd de désir.

— Viens, répéta-t-il.

Elle n'était pas de ces femmes à sauter dans le lit du premier venu, cinq minutes après l'avoir rencontré, mais elle s'était senti pleinement femme en dansant dans ses bras. En quelques heures, il avait réussi à obtenir d'elle ce que de rares privilégiés avaient obtenu après plusieurs mois de patience.

Elle s'avança vers lui et il lui prit les lèvres dans un baiser presque brutal. Un baiser auquel elle répondit, brûlante de désir.

Il redressa la tête et la maintint à bout de bras.

— Tu en as envie aussi ? murmura-t-il.

A cet instant, rien d'autre ne comptait que la passion qui la précipitait vers lui. La seule chose dont elle était sûre était qu'elle mourrait de frustration s'il arrêtait de l'embrasser, de la toucher...

Elle ferma les yeux et se pressa contre lui.

— Oui, murmura-t-elle.

Il la souleva sans effort et l'emporta dans la chambre adjacente, sur le grand lit ouvert.

Après la fureur de leur premier baiser, elle s'attendait qu'il lui arrache ses vêtements pour lui faire l'amour avec violence, mais la frénésie presque animale qui les avait jetés dans les bras l'un de l'autre se métamorphosa en une sensualité d'une intensité presque insupportable. Il la déshabilla avec une infinie lenteur, découvrant son corps parfait, centimètre par centimètre, tout en multipliant ses caresses et ses baisers.

Elle oublia aussitôt où elle était, flottant le long de rivages inconnus, sur une mer de sensations exquises, en gémissant à chacune de ses attentions. Tremblante de désir, elle tendit les bras pour s'offrir tout entière incapable d'attendre encore plus longtemps. Et il la prit enfin, dans la plus vieille danse du monde. Une danse qui l'emporta encore plus loin, encore plus haut... jusqu'au septième ciel.

— Et Aiden ?

Filtrée par une sorte de brouillard, cette question résonna faiblement dans l'esprit de Tabatha.

Elle s'étira langoureusement. Jamais de sa vie, elle ne s'était sentie aussi épanouie, aussi rayonnante, aussi femme.

— Tabatha ?

Elle entrouvrit les yeux. Franck la fixait avec une dureté inattendue. Dans un geste pudique, et bien tardif, elle ramena le drap sur elle pour dissimuler ses seins fièrement dressés.

— Et Aiden ? répéta-t-il.

Comment lui expliquer qu'il n'y avait rien entre Aiden et elle ? Qu'ils étaient simplement les meilleurs amis du monde et que cela ne changerait jamais ?

Il ne la croirait pas. Et puis ce n'était pas à elle de se dédouaner en révélant un secret qu'Aiden tenait à cacher aux siens.

La voix de Franck, si douce, si tendre, si sensuelle, claqua soudain comme un coup de fouet.

— Si tu l'aimes, peux-tu me dire ce que tu fais dans mon lit ?

Elle demeura silencieuse, incapable de lui répondre.

— Je veux bien croire qu'une femme puisse perdre la tête, emportée par la passion, dit-il. Mais quand on a déjà un homme dans sa vie, on sait se retenir. Or je n'ai pas eu grand mal à t'emmener dans ma chambre.

— Tu m'as tendu un piège ! s'écria-t-elle, indignée.

Puis son expression se figea.

— Tu m'as attirée ici seulement pour... pour tester mes sentiments envers ton frère, c'est écœurant !

— Tu n'as pas beaucoup résisté.

Dans un frisson d'horreur, elle se souvint de ce que lui avait murmuré Aiden.

« Méfie-toi de lui. Il est dangereux. C'est le genre d'homme à laisser une femme au bord du chemin, sans même se retourner, après l'avoir réduite en miettes. »

Il ne lui avait pas fallu longtemps pour la broyer. Elle était tombée dans le panneau tête baissée, et elle ne pouvait s'en prendre qu'à elle-même.

Elle s'enveloppa du drap, sauta du lit, récupéra ses vêtements et courut dans la salle de bains. Elle n'eut pas le temps de tirer le verrou que Franck la rejoignait. Et contrairement à elle, il ne semblait pas complexé par sa nudité.

Les yeux brillant de larmes, elle serra davantage le drap autour d'elle.

— Je t'ai déjà prévenue, la menaça-t-il. Laisse mon frère tranquille.

Le premier choc passé, la colère la submergea.

41

— Et toi, fiche-moi la paix ! Tu n'as aucune idée des raisons pour lesquelles je me trouve ici, aujourd'hui. Tu ne t'en rends pas compte, mais en venant à ce mariage avec ton frère, j'ai rendu un grand service à ta famille.

— En jouant le rôle de la tendre et délicieuse fiancée pour que personne ne découvre son homosexualité ? ricana-t-il.

Suffoquée, elle demeura un instant sans voix.

— Tu es au courant ?

— Evidemment. Et si je ne l'étais pas, il m'aurait suffi de vous voir ensemble ce soir pour comprendre. N'importe quel homme aurait été fier d'avoir une femme comme toi à son bras.

Elle haussa les épaules.

— N'exagérons pas. Comparée à Amy Dellier, je suis bien insignifiante.

— Tu la vaux cent fois. Et si Aiden avait été vraiment intéressé par toi, il ne t'aurait pas quittée d'une semelle, au lieu de noyer ses idées noires dans le champagne et le cognac.

— Puisque tu as deviné, je ne vois pas ce qui te met dans une telle colère. Tu sais maintenant que je n'en veux pas à son argent.

— Tu me crois aveugle ? Ce ne serait pas la première fois qu'il y aurait un mariage de convenance dans la famille. Ça vous arrangerait tous les deux. Tu paierais tes dettes de jeu et Aiden aurait un alibi.

Il la toisa avec un effroyable mépris.

— Si douces, si mignonnes à l'extérieur, et si complètement pourries à l'intérieur. Vous n'êtes que de froides calculatrices d'une cupidité insensée.

42

— Et toi, tu as l'esprit complètement tordu, répliqua-t-elle, sidérée. Comment peux-tu me juger sans même me connaître ?

— Je t'ai dit que je n'étais pas aveugle. Tu veux un exemple ? Ma cousine Simone s'est mariée aujourd'hui uniquement pour une question d'argent... Un autre exemple ? Mes parents !

— Ils semblent heureux, pourtant, nota-t-elle, stupéfaite par ces révélations sordides.

— A force de concessions, ils en sont arrivés à un modus vivendi plus ou moins satisfaisant. Mais on ne peut pas dire que leur mariage soit réussi. Si tu crois que je te laisserai épouser Aiden...

— Ton frère était totalement ivre ! coupa-t-elle. Quand il a parlé de m'épouser, il ne savait plus ce qu'il disait.

— Je n'en crois pas un mot ! Il y a certainement beaucoup de points communs entre vous, les « artistes », mais il ne sera jamais question de mariage. Tu entends ? Jamais !

Il la toisa de nouveau avec mépris.

— Vous êtes bien de la même race. Vous menez une vie de bohème et vous ne pensez qu'à votre soi-disant art tout en méprisant les bases contingences de ce monde. C'est pourtant bien elles et les gens qui triment à votre place qui vous font vivre. S'il fallait seulement compter sur votre « immense » talent, ce serait bel et bien la misère.

Il se rapprocha d'elle.

— Je peux imaginer sans peine la respectable Mme Aiden Chambers dans quelques mois, une fois ses dettes payées. On ne verra plus qu'elle dans toutes les parties de bridge où l'on joue gros jeu, ou encore au

Melbourne Cup, des endroits beaucoup plus élégants que les troquets infâmes où tu as l'habitude de passer tes soirées, avec l'espoir toujours déçu de te refaire.

Il se rapprocha davantage.

— Le problème est que tu es très sensuelle. Je suppose que tu prendras un amant, discrètement bien sûr, parce que la respectable Mme Aiden Chambers ne pourra plus se permettre de mener la vie dévergondée qu'elle avait avant son mariage.

Tabatha le toisa à son tour, mais avec dégoût.

— Tu ne manques pas d'imagination, je vois. Quant à ta faculté de juger et de condamner, elle me sidère. Tu es tellement persuadé que les gens n'en veulent qu'à ton argent que tu es incapable de faire confiance à qui que ce soit. Et tu fais pitié, parce que l'amour, le vrai, ça existe, figure-toi.

— Tu veux dire les contes de fées ?

— Oui, justement, les contes de fées ! « Ils furent heureux et eurent beaucoup d'enfants... » Ta mère ne te lisait pas ce genre d'histoires quand tu étais petit ?

Il eut cette fois un rire sans joie.

— Tu as vu ma mère. Tu peux vraiment l'imaginer lisant des contes de fées à ses enfants avant de les border ?

Tabatha laissa échapper un léger soupir. Il l'avait traitée comme une moins que rien et curieusement, pourtant, elle ne pouvait s'empêcher d'éprouver de la pitié devant l'océan d'amertume quelle découvrait en lui.

— Ton raisonnement est faux sur toute la ligne, remarqua-t-elle plus gentiment.

— Oh, non !

Il ramassa la robe qu'elle avait laissée tomber, et après en avoir vérifié une dernière fois la griffe, il la lui jeta dans les bras.

— Je ne te le répéterai pas, tonna-t-il. Laisse Aiden et les Chambers tranquilles !

4.

La danse avait toujours été un refuge pour Tabatha.
Et lorsqu'elle s'adonnait à sa passion, plus rien ne
comptait, elle oubliait tout le reste. Mais cette capa-
cité d'oubli l'avait quittée depuis déjà cinq jours,
cinq longues journées suivies de cinq nuits tout aussi
interminables.

Dès l'ouverture des banques, elle courait d'un guichet
à l'autre, sollicitant des rendez-vous dans l'espoir fou
qu'un responsable s'apitoie sur son sort et lui octroie
le prêt qui sauverait sa grand-mère.

Ces démarches, très pénibles, n'étaient cependant
rien comparées à l'angoisse de ses nuits. Des nuits
sans sommeil où elle ne cessait de se tourner et de
se retourner dans son lit en pensant à Franck, à ses
lèvres, à ses mains, à son corps brûlant contre le
sien... sans toujours comprendre comment elle avait
pu s'abandonner aussi vite, elle qui n'avait jamais eu
d'aventures sans lendemain.

Leur rencontre avait été occasionnée par un même
désir incontrôlable. Puis ils s'étaient séparés, sans un
seul regard, du moins en ce qui le concernait. Il l'avait
envoûtée, et à chaque instant son image s'imposait à
elle. L'image d'un homme qui l'avait éveillée vers des

sommets qu'elle n'aurait jamais cru possibles d'atteindre. L'image d'un homme qui l'avait révélée avant de la blesser, de l'humilier...

Mais ce soir-là, comme les autres soirs, elle devait paraître rayonnante et danser sur scène. C'était son travail, son gagne-pain. Lorsque le rideau tomba enfin, après plusieurs rappels, elle regagna la loge qu'elle partageait avec d'autres danseuses. Tout en écoutant leurs bavardages d'une oreille distraite, elle retira son costume de scène et s'apprêtait à s'envelopper d'un peignoir pour aller prendre sa douche quand le régisseur frappa à la porte.

— Tabatha ? M. Chambers désire te voir.

— Qu'il entre, répondit-elle.

Lorsque Aiden passait au théâtre, sans prévenir, c'était soit parce qu'il avait des ennuis, soit parce qu'il se sentait seul. Et elle avait l'habitude de tourner gentiment ses soucis en dérision.

— Qu'est-ce qui ne va pas ce soir ? demanda-t-elle en pivotant sur son tabouret pour adresser un sourire amical à son visiteur. Ne me dis pas que ton poisson rouge est de nouveau malade...

Sa phrase mourut sur ses lèvres. Le M. Chambers qui s'avançait vers elle n'était pas Aiden... mais Franck. Celui qui, depuis cinq jours, occupait ses pensées. Incapable de prononcer un mot, d'esquisser un geste, elle resta figée sur son siège, telle une statue.

— Mon poisson rouge malade ? s'exclama-t-il avec amusement. Grâce au ciel, non ! Rien d'aussi dramatique !

Les danseuses avaient cessé de papoter pour le fixer avec de grands yeux fascinés.

— Il fallait que je te voie, dit-il. Je pars demain pour les Etats-Unis, et avant cela, j'aurais aimé mettre au point quelques détails.

— Quels détails ? demanda-t-elle, perplexe.

Elle se rendit brusquement compte qu'elle ne portait qu'un string couleur chair, et ce fut rougissante qu'elle enfila son peignoir.

— Que viens-tu faire ici ? demanda-t-elle.

— Notre mariage aura lieu dans quatre semaines, et rien n'est encore organisé.

En l'entendant, les autres danseuses restèrent aussi stupéfaites que Tabatha, et leur étonnement ne sembla pas troubler Franck.

— Marcus ? appela-t-il.

Il connaissait même le nom du régisseur !

Ce dernier s'approcha avec empressement.

— Oui, monsieur Chambers ?

— Pouvez-vous m'indiquer un endroit, dans ce théâtre, où nous pourrions discuter tranquillement, ma fiancée et moi ?

— Bien sûr, monsieur Chambers.

Tabatha n'était toujours revenue de son effarement alors qu'elle se trouvait, quelques instants plus tard, en compagnie de Franck dans l'une des luxueuses loges réservées aux vedettes et qui n'avait rien à voir avec les cagibis à la peinture écaillée, d'ordinaire réservés à la troupe des danseuses.

De grands miroirs, un canapé confortable, une salle d'eau et même un mini bar meublaient la pièce.

Avec l'arrogance qui le caractérisait, Franck l'ouvrit et sortit une bouteille de champagne.

Tabatha retrouva enfin sa voix.

— Qu'est-ce que tu fais ici ! protesta-t-elle. Tu viens te moquer de moi sur mon lieu de travail, maintenant ? J'aurai l'air de quoi, demain ?

Il remplit deux coupes, sans répondre, et lui en tendit une qu'elle prit entre d'une main tremblante.

— Je parle sérieusement, Franck. Que fais-tu ici ? Pourquoi viens-tu raconter des bêtises pareilles devant tout le monde ?

— Des bêtises ?

Elle poursuivit, sans tenir compte de son intervention.

— Qui va devoir en supporter les conséquences, hein ? Sûrement pas toi.

— Il n'y a aucune raison d'en faire un drame.

— Tu en as de bonnes !

— Tu n'es plus d'accord pour que l'on se marie ?

La loge était relativement grande, mais elle eut l'impression que les murs se refermaient lentement sur elle.

— Je rêve ! s'écria-t-elle. Comment peux-tu imaginer un seul instant que je veuille t'épouser ? Tu as perdu la raison ou quoi ?

Elle secoua la tête, s'efforçant de revenir à l'instant présent. Elle rêvait, forcément. Une demande en mariage de la part de Franck Chambers relevait du domaine de l'irréel.

Il s'assit sur le canapé et pianota sur la table basse avec impatience.

— Alors ?

— Tu es devenu fou ? Pourquoi voudrais-tu que je devienne ta femme ? C'est ridicule.

— Pour une fois, le scénario imaginé par Aiden n'était pas aussi stupide que ça.

— Quand il m'a présentée comme étant sa petite amie ? s'étonna-t-elle.

— Et qu'il t'a demandée en mariage... Ne prétends pas le contraire, j'étais témoin de la scène.

— Il avait trop bu, il ne savait plus ce qu'il disait. J'avais uniquement accepté de lui servir d'alibi, et ça ne devait pas aller plus loin.

— Non ?

Agacée, elle tapa du pied.

— Pourquoi ne veux-tu pas me croire ? J'ai seulement voulu l'aider, je ne cours pas après son argent. D'ailleurs, si tu veux savoir, quand il a renouvelé sa proposition le lendemain, alors qu'il avait les idées claires, j'ai refusé catégoriquement.

— Je sais et ça m'a surpris, je l'avoue. Alors j'ai pensé que tu visais plus haut.

— Plus haut ?

— Remarque, c'est intelligent de ta part. Pour une joueuse comme toi, Aiden n'est pas le numéro gagnant. Je ne pense pas que tu sois le genre de femme à miser sur le mauvais cheval... Imagine que mon père découvre qu'Aiden et toi lui avez joué la comédie ? Pour le punir, il serait capable de le déshériter, et tu serais alors en face d'un artiste sans argent, ni avenir.

— Tu te trompes, comme d'habitude, soupira-t-elle avec lassitude. Primo, il n'a jamais été question que j'épouse Aiden. Secundo, tu méprises ton frère, comme tu méprises tout le monde. Alors que, contrairement à ce que tu crois, c'est un excellent artiste.

— Pff !

— Un jour, il sera célèbre. Je ne fréquente ni les champs de courses ni les casinos, mais je serais prête à parier sur son avenir.

50

— Arrêtons de parler d'Aiden, il ne sera jamais Van Gogh. J'ai des choses bien plus importantes à te dire.

Il marqua une pause afin de ménager son effet.

— Pour la première fois de ta vie, tu as gagné le jackpot !

— Le jackpot ? Quel jackpot ? Je ne comprends pas.

— Vraiment ?

Le regard de Franck lui fit perdre contenance. Elle termina sa coupe de champagne d'un trait.

— Tu as raison, il faut fêter ça, dit-il en lui remplissant de nouveau son verre. Pour une fois, Aiden a eu une bonne idée.

Machinalement, Tabatha ôta les épingles qui maintenaient sa somptueuse chevelure, et ses boucles rousses cascadèrent sur ses épaules.

Se souvenant que trop bien de la douceur de ses mèches couleur feu, Franck résista à son envie d'aller l'aider. Cette femme l'envoûtait et il valait mieux qu'il garde la tête froide pour le moment.

— Parlons peu, mais parlons bien, déclara-t-il.

Il sortit un chèque de sa poche et le posa devant elle.

— Voilà !

Sans prendre la peine d'en vérifier le montant, Tabatha le repoussant avec dédain.

— C'est une plaisanterie ?

— Je n'ai jamais été aussi sérieux de ma vie. Tu pourrais quand même prendre la peine de considérer mon offre. Ce n'est pas tous les jours que je rédige des chèques aussi importants.

— Et ce n'est pas tous les jours que l'on croit pouvoir m'acheter.

— Toutes les femmes sont à vendre. Il suffit d'y mettre le prix.

Elle le dévisagea, et son expression révélait davantage sa compassion que sa colère.

— Je te plains, dit-elle.

— Ecoute, je ne t'achète pas, répondit-il avec impatience. Cesse donc de jouer sur les mots.

— Tu es insensé ! Tu me prends pour une marionnette dont tu peux tirer les ficelles à ta guise ?

— Tu devrais être contente : j'ai trouvé une solution à nos problèmes.

— Quelle solution ? Quels problèmes ?

— Tu as des dettes et j'ai un père en mauvaise santé qui rêve de voir au moins l'un de ses fils marié.

— Je n'ai aucune dette.

Contrairement à sa grand-mère qui se trouvait de nouveau dans une situation sans issue, Tabatha avait toujours su gérer son modeste budget.

— Ne me raconte pas d'histoires. Aiden m'a dit que tu étais dans une mauvaise passe et que tu courais les banques pour obtenir un prêt.

— C'est mon affaire, ça ne te regarde pas, répliqua-t-elle d'un air buté et sans souhaiter s'expliquer sur le sujet.

— Je t'offre une solution qui nous arrange tous les deux, insista-t-il en poussant de nouveau le chèque vers elle.

Cette fois, Tabatha eut la curiosité de jeter un coup d'œil sur la somme. Une somme à multiples zéros. Une fortune !

— Ce n'est qu'une partie de ce que je te donnerai, poursuivit-il. Tu recevras également chaque mois une somme substantielle pour tes dépenses courantes et tes vêtements.

Il tapota le chèque d'un doigt impatient.

— Après le mariage, tu toucheras le même montant... Et le double dans six mois, à condition que tu te conduises en épouse respectable.

— En épouse respectable ?

— Pas de scandales, pas de révélations à la presse, pas d'objections au moment du divorce, énuméra-t-il.

— Le... le divorce ?

Il esquissa un sourire sarcastique.

— Je ne te demande pas de t'engager pour la vie. Juste pour six mois.

Soudain, son visage se tendit, et elle devina qu'il avait du mal à dissimuler son chagrin.

— Les médecins ne donnent pas plus de trois mois à mon père. Si nous divorcions juste après sa mort, ce serait mal vu. Je ne voudrais pas que ta réputation en souffre.

— Je ne me soucie guère de ma réputation. En revanche, je tiens à mon amour-propre.

— Je ne pense pas que tu en aies beaucoup.

— Ne m'insulte pas, s'il te plaît.

— Et toi, ne monte pas sur tes grands chevaux. Je sais qui tu es et je sais ce que tu vaux. Ah, j'oubliais ! Tant que durera notre mariage, pas question d'approcher une table de jeu ou une machine à sous. Après, tu feras ce que tu voudras. Si ça t'amuse, tu pourras aller miser tout cet argent, mais je te conseillerais plutôt d'aller te faire soigner par un psy et de prendre un conseiller pour t'aider à administrer ton capital.

— Inutile.

Il haussa les épaules.

— Comme tu voudras. Les joueurs sont toujours les derniers à admettre qu'ils ont besoin de se faire soigner, c'est bien connu. Mais je ne suis pas ici pour te faire la leçon...

Il sortit des papiers de son attaché-case et les posa devant elle.

— Je voudrais juste que tu lises attentivement ce contrat avant de le signer. Il faut que tu saches à quoi tu t'engages.

La stupeur de Tabatha céda le pas à la colère.

— Tu es fou ? Tu penses vraiment que je vais accepter ta proposition ?

— Evidemment. N'oublie pas que grâce à tout cet argent, ton existence va se trouver transformée.

— Mon existence actuelle me convient parfaitement.

— Combien de temps vas-tu pouvoir tenir ?

Elle croisa les bras, s'attendant qu'il lui fasse de nouveau la morale au sujet des méfaits du jeu.

— Pendant combien de temps pourras-tu encore gagner ta vie comme danseuse ? lui demanda-t-il.

Tabatha sentit son sang se glacer. Sa question était celle qui la hantait depuis longtemps, la carrière d'une danseuse étant de courte durée.

— Je ne suis pas si âgée...

— Tu auras bientôt trente ans, coupa-t-il. Et il paraît que tu as de plus en plus de mal à décrocher des engagements.

— Aiden n'avait pas à te parler de ça.

— Nous sommes frères, et il ne m'a pas fait une véritable révélation. J'ai lu récemment un article au sujet du nombre de danseurs et de comédiens qui ne trouvent pas de travail à Melbourne et qui courent les auditions sans succès. J'ai parlé de cet article à Aiden, il m'a aussitôt parlé des difficultés que tu rencontrais dans ton métier. Il trouve même que le monde du spectacle est bien dur pour une délicate créature comme sa chère Tabatha.

— Je me demande en quoi ma carrière peut t'intéresser.

— Je me moque de ta carrière, je sais juste que tu es dans une situation précaire.

— Si je ne trouve pas d'engagement après ce spectacle, je pourrai toujours travailler dans un bureau.

— Tu crois qu'on cherche beaucoup de secrétaires dont la seule référence est de savoir faire des entrechats ?

— Pourquoi m'as-tu choisie, moi plutôt qu'une autre ? demanda-t-elle. En admettant même que j'accepte, ne penses-tu pas que tes amis de la haute société vont trouver bizarre que tu épouses une danseuse ?

— Une très jolie danseuse. Doublée, il est vrai d'une joueuse, ironisa-t-il. Mais je t'ai prévenue : une fois mariée, interdiction absolue de t'approcher d'un casino.

Il désigna les papiers qui étaient restés sur la table basse, près du chèque.

— Toutes ces précisions figurent dans le contrat.

— Pourquoi n'épouses-tu pas plutôt Amy Dellier ? C'est ce qu'elle souhaitait, non ?

— Elle prétendait m'aimer, ce qui était faux et qui compliquait les choses. Celle que j'épouserai vraiment un jour, et qui sera la mère de mes enfants, ne sera ni mannequin ni danseuse.

— Ce sera qui ? Une bourgeoise pincée ? ne put-elle s'empêcher de demander.

— Ça ne te regarde pas. Le mariage qui va nous lier provisoirement sera un arrangement d'affaires comme un autre. Au bout de six mois, quand tu me quitteras, tu seras riche, et mon père mourra avec un espoir de descendance.

— Parce que je suis censée avoir un bébé ?

Il y avait autant de sarcasme que de mépris dans sa voix, et elle ne s'attendait pas qu'il prenne sa question au sérieux.

— Ce point figure en toutes lettres dans le contrat, répondit-il. Pas question d'avoir des enfants. Je compte sur toi pour prendre toutes les précautions nécessaires.

— Tu as vraiment pensé à tout, observa-t-elle avec ironie.

— Naturellement, on ne joue pas avec la vie d'un enfant. D'ailleurs, à ce propos, j'espère que tu t'étais protégée l'autre jour, parce qu'avant d'aller plus loin, je ne voudrais pas que notre première rencontre ait des conséquences regrettables.

Il traitait tout cela avec une froideur et un détachement invraisemblables. Cependant, l'esprit de Tabatha vagabondait déjà. Elle s'imagina avec un bébé dans les bras. Un bébé avec ses cheveux noirs et ses yeux bleu foncé.

— Si j'étais enceinte, ta proposition ne tiendrait plus ? s'enquit-elle.

— Ton état rendrait les choses plus compliquées, mais je suis prêt à prendre mes responsabilités. Et toi ?

Elle se sentit rougir, n'ayant aucune intention de discuter de la régularité de ses cycles avec un homme qu'elle voyait pour la seconde fois.

L'image du bébé s'imposa de nouveau à elle.

— Tabatha ?

Sa voix la ramena à la réalité.

— Es-tu enceinte, oui ou non ?

— Non.

— Tu en es sûre ?

— Tu veux que j'aille acheter un test de grossesse ?

— Ce serait peut-être plus sage.

Puis avec magnanimité, il ajouta :

— Mais je veux bien croire en ta parole.

Il la considéra d'un air songeur, et elle sentit les battements de son cœur s'accélérer.

— Ce qui s'est passé l'autre soir, au Windsor, se répétera sûrement, reprit-il. Inutile de se voiler la face, nous sommes attirés physiquement l'un par l'autre.

— Ah, oui ? Tu en es sûr ?

— Certain ! dit-il avec froideur.

Il paraissait tellement différent de l'homme qu'elle avait suivi dans sa suite du Windsor... Si différent, qu'elle se demanda s'il était bien le même.

Comment un être pouvait-il présenter des facettes à ce point divergentes ?

Elle se permit de rêver quelques instants. Il lui suffisait de signer ces papiers pour vivre six mois avec lui et renouveler la merveilleuse expérience qu'elle avait vécue dans ses bras.

Il lui tendit un stylo, comme s'il devinait ses pensées.

— Tu n'as qu'à signer.

— Juste comme ça ?

— Non, dit-il avec irritation. Je veux que tu lises tout devant moi, sans oublier une ligne. Si tu as des questions, j'y répondrai, et si tu souhaites quelques modifications, je les envisagerai. Mais n'en demande pas trop.

Dix minutes plus tôt, lorsqu'il lui avait expliqué en quoi consistaient ces documents, sa première réaction avait été de les déchirer en rejetant cette proposition d'un « non » catégorique. D'ordinaire, elle prenait ses décisions très vite. Tout lui semblait clair. Mais, dans ce cas précis, elle n'était plus sûre de rien.

— On se mariera dans quatre semaines, à Lorne, reprit-il.

— A Lorne ? murmura-t-elle, rêveuse.

— Mes parents possèdent une villa sur la plage. C'est un endroit ravissant que mon père adore. Evidemment, si tu préfères un mariage religieux...

— Etant donné les circonstances, ça me paraîtrait déplacé.

— Nous voilà au moins d'accord sur un point.

Elle poussa un soupir et feuilleta le contrat.

— Il y a plus de vingt pages ! observa-t-elle. Il va falloir tout lire, tout discuter ?

— Cela me semble indispensable. Tu veux des garanties, non ? Eh bien, moi aussi.

— On ne peut pas étudier ce document dans un bistro ? suggéra-t-elle. Je meurs toujours de faim après un spectacle. Je prends une douche en vitesse, je m'habille et on va dîner.

— Tu ne peux plus aller n'importe où, s'opposa-t-il. Tu vas cesser d'être anonyme.

— Comment ça ?

— Dès qu'un Chambers lève le petit doigt, les journalistes sont au courant. Si tu deviens ma fiancée, puis ma femme, autant que tu sois prévenue. Tu vivras sous les flashes dès que tu mettras le nez dehors.

— Tu exagères.

— Pas du tout. Si nous allions étudier ce contrat dans un bistro, comme tu dis, demain, il y en aurait les échos dans une certaine presse.

Il soupira.

— C'est ainsi, conclut-il. On en prend l'habitude, même si ce n'est pas toujours très drôle.

— Aiden n'a pas de problèmes avec les médias.

— Et ça t'étonne ? Mon frère n'ose pas éternuer tant il a peur que notre père ne découvre quelque chose. Pourquoi t'a-t-il amenée au mariage de Simone ? Tout simplement parce qu'il y a déjà eu quelques commentaires un peu acides dans la presse à son sujet, du genre : « Pourquoi ne voit-on jamais Aiden Chambers avec une jolie fille ? » Qu'est-ce que tu croyais ? Qu'il t'avait invitée pour tes beaux yeux ?

— Je sais parfaitement pourquoi il voulait que je l'accompagne. Aiden et moi, nous nous entendons à merveille, et nous n'avons aucun secret l'un pour l'autre. Alors, s'il te plaît, n'essaie pas de détruire notre amitié.

Elle croisa les bras.

— Quoi qu'il en soit, si les Chambers n'étaient pas aussi collet monté, avec des idées d'un autre âge, Aiden n'aurait pas besoin de recourir à de tels subterfuges.

Amusé par son indignation, Franck esquissa un sourire.

— Nous perdons du temps, à moins que tu aies envie de passer la nuit enfermée dans ce théâtre.

L'idée d'être enfermée avec lui, dans cette loge meublée d'un profond canapé, n'était, somme toute, pas si déplaisante.

— Ne t'inquiète pas, dit-elle simplement. On ne verrouille jamais la sortie des artistes avant 1 heure du matin.

Il poussa les documents devant elle.

— Alors lis tranquillement. Et n'hésite surtout pas à me poser toutes les questions que tu veux.

Il s'assit près d'elle pendant qu'elle parcourait les feuillets. Sa proximité la troubla et elle eut du mal à se concentrer.

Elle tourna les pages les unes après les autres, en silence, se demandant comment une chose aussi belle que l'union de deux êtres pouvait être réduite à des clauses aussi strictes et aussi préméditées. Il semblait avoir pensé à tout, et c'en était navrant.

— Tu n'as rien oublié, dit-elle en terminant sa lecture.

— Tu as tout compris ?

— Oui, c'est on ne peut plus clair.

— Des objections ?

— Non.

— Des questions ?

— Une seule.

— Je t'écoute.

— Quel est ton signe astral ?

Il tomba des nues.

— Quoi ?

— Quel est ton signe astral ?

Pour la première fois, Franck parut déconcerté. Elle ne put s'empêcher de rire lorsqu'il reprit le contrat pour le feuilleter.

— Tu peux chercher, tu ne le trouveras pas là-dedans.

— Pourquoi veux-tu connaître mon signe astral ?

— Chaque matin, nous consulterons notre horoscope pour savoir ce que l'autre pense, ce qui l'attend dans la journée...

— Foutaises !

— Je suis sûre que ta mère demandera quel est mon signe.

— Ça m'étonnerait.

— Pas moi. Et tu seras bien embarrassé de ne pas pouvoir lui répondre. Un bien mauvais début pour la comédie que nous allons devoir jouer pendant six mois. Alors, quel est ton signe ?

— Balance.

Elle parut surprise.

— C'est curieux, nota-t-elle. Les Balance sont des signes chaleureux, aimants, tendres... Tu n'étais pas prématuré, par hasard ?

— Pas du tout. Je suis né à terme. Et toi ? Quel est ton signe ?

— Vierge.

Il éclata de rire.

— Ça prouve bien que toutes ces histoires ne tiennent pas debout.

Il lui tendit de nouveau son stylo.

— Tu n'as plus qu'à parapher en bas de chaque page et signer à la fin.

Elle hésita. Les avocats qui avaient rédigé cet invraisemblable document avaient oublié une clause. Celle de l'amour. Mais comment pouvait-il être question d'amour dans une union qui se dissoudrait au bout de quelques mois ?

Une nouvelle fois, Franck devina ce qu'elle pensait.

— Il s'agit d'un contrat d'affaires.

— Oui..., murmura-t-elle en dissimulant ses larmes.

— Mais c'est un bon contrat, ajouta-t-il-il. Personne n'y perd, tout le monde y gagne.

Elle hésitait toujours.

Franck réunit soudainement les feuillets pour les remettre dans son attaché-case.

— Il vaut mieux que tu réfléchisses avant de t'engager. Je ne veux pas te forcer. Tiens, prends le chèque.

— Sans avoir signé ? Et si je partais avec cet argent ?

— Tu ne serais pas si bête. Allez, va t'habiller, je t'emmène dîner. Moi aussi, j'ai faim.

5.

— Qu'allons-nous dire à Aiden ? demanda Tabatha.

Elle était à présent assise en face de lui dans un luxueux restaurant du centre-ville. Une nuée de serveurs attentifs évoluaient autour des tables.

Franck haussa les épaules.

— Nous n'avons pas à lui donner d'explication.

— Si, et je pense même qu'il doit être prévenu avant tout le monde. J'estime aussi que c'est à moi de le mettre au courant.

— Prétends que je t'ai fait une offre tellement intéressante que tu n'as pas pu refuser, suggéra-t-il après un instant de réflexion.

— Je peux quand même préciser qu'il s'agit de... d'une sorte de marché ? Une comédie qui arrange tout le monde ?

De nouveau, Franck hésita. Puis il hocha la tête.

— D'accord. Mais ne parle de tout ça qu'à Aiden. Personne d'autre ne doit savoir. Tu m'entends ? Personne. Ni ta meilleure amie, ni ta coiffeuse, ni même tes parents.

Les doigts de Tabatha se crispèrent sur son verre.

— Mes parents sont morts tous les deux.

Cette révélation laissa Franck de marbre.

— Au moins, tu n'auras pas à leur mentir.

Choquée, elle s'apprêtait à protester, mais il ne lui en laissa pas le temps.

— Je comprends pourquoi Aiden et toi êtes amis. Vous vous ressemblez tellement !

— Faux.

— Oh, si !

— En quoi nous ressemblons-nous, s'il te plaît ?

— En ce sens que vous n'avez jamais eu de véritables problèmes matériels, ce qui vous permet de vivre de l'air du temps sans vous soucier du lendemain. Je suppose que tu as hérité de tes parents ? De l'argent ? Une maison, peut-être ? Ce qui te permet de te consacrer entièrement à la danse.

Il y avait tant de dérision, tant de mépris dans ces derniers mots qu'elle faillit lui lancer le contenu de son verre de vin à la figure.

— Facile de se prétendre artiste quand on sait qu'on a un toit au-dessus de la tête, sans avoir à se soucier de payer un loyer, poursuivit-il d'un ton sarcastique.

— Ce que tu peux être amer.

— Je suis réaliste.

— Réaliste, mais amer.

— Peut-être...

Son attitude changea brusquement. Il redevint l'homme d'affaires froid et distant qui, en quelques phrases, remettait les choses au point.

— Au lieu de perdre notre temps en discussions stériles, récapitulons notre prétendue histoire. Donc, nous avons fait connaissance au mariage de Simone. Ça a été le coup de foudre. Et depuis, nous vivons sur un petit nuage. Pour le moment, nous nous en tiendrons à ce discours, sans dévier. Nous ne dirons rien d'autre sans nous consulter avant. D'accord ?

Tabatha se mordit la lèvre inférieure, presque au sang.

— Tes parents ne vont pas trouver tout ça bizarre ?

— Pourquoi ? Aiden ne t'a pas présentée formellement comme sa fiancée. Tout était sous-entendu. Bon, tu n'oublieras pas ? Nous avons fait connaissance au mariage de Simone...

— Et ça a été le coup de foudre, poursuivit-elle. Et depuis, nous vivons sur un petit nuage.

Il leva son verre.

— Bravo !

Dès qu'il lui faisait un petit compliment, même s'il s'agissait d'un simple « bravo » narquois comme celui-ci, elle rougissait.

Remarquant ses doutes, il la rassura.

— Ne t'inquiète pas, ils nous croiront.

— Tu penses réellement que les gens tombent amoureux aussi vite que ça ?

— L'amour..., sourit-il. L'important, pour mes parents est que je me marie. Ils ne chercheront pas plus loin.

Il s'interrompit, le maître d'hôtel, visiblement ravi d'avoir un client aussi important, s'approchant de leur table.

— Tout se passe bien, monsieur Chambers ?

— Hélas, non !

Le maître d'hôtel parut consterné.

— Dites-moi ce qui ne va pas, et je ferai mon possible pour vous donner satisfaction.

Franck saisit la main de Tabatha et déposa un baiser au creux de sa paume. Elle leva les yeux vers lui. Il souriait.

— Comment peut-on fêter une demande en mariage sans le meilleur champagne français ?

Rassuré, le maître d'hôtel leur adressa un large sourire.

— Serais-je le premier à vous féliciter, vous ainsi que la ravissante élue, monsieur Chambers ?

— Ma foi... oui.

Quelques instants plus tard, le bouchon d'une bouteille millésimée sautait sous les regards intéressés des autres clients. Puis Franck sortit un petit écrin en velours noir de sa poche.

— Je n'ai pas encore accepté, murmura-t-elle. Je n'ai rien signé.

Sans écouter ses protestations, il lui reprit la main et glissa un énorme rubis sombre à son annulaire. Une pierre superbe de simplicité qui étincela à la lueur des chandelles.

— Tu pourras toujours rompre demain, répondit-il. Il y a un collier assorti à cette bague. Un collier que, selon la tradition familiale, je suis censé t'offrir pour le quarantième anniversaire de notre mariage.

Lorsqu'il se pencha pour lui parler à l'oreille, ils eurent l'air d'un couple extrêmement amoureux.

— La bague n'est qu'un prêt, précisa-t-il. Ne t'y attache pas trop car elle doit rester dans la famille. Je la remplacerai par un bijou de valeur égale quand nous nous séparerons.

Cette précision était dite sans la moindre méchanceté, il se contentait d'expliquer froidement les faits, mais Tabatha, très sentimentale, sentit une larme lui irriter les paupières.

— Quelle actrice ! se moqua-t-il. Plutôt que de devenir danseuse, tu aurais mieux fait d'être comédienne.

Elle préféra ne pas relever la pique, il y en avait déjà eu tant... et il y en aurait sûrement d'autres. Il valait mieux qu'elle apprenne à s'endurcir dès le début.

Puis ils se mirent à discuter à bâtons rompus, à propos de tout et de rien. Peu à peu, Tabatha se détendit. Elle étudiait les expressions de son visage dont la flamme des bougies mettait en valeur les contours. Ils bavardèrent avec aisance, comme s'ils se connaissaient depuis toujours, au point qu'elle se sentit soudainement à l'aise, presque heureuse. Sa réaction la surprit et elle la mit sur le compte du champagne qui coulait à flots dans leurs flûtes en cristal.

Lorsque l'addition arriva, discrètement pliée dans un étui en daim frappé d'or, elle s'empara instinctivement de son sac pour payer sa part, mais elle comprit presque aussitôt que ce geste n'était pas à faire.

— Très bien, approuva-t-il. Tu apprends vite.

Le maître d'hôtel les raccompagna jusqu'à la porte en multipliant les courbettes.

— Nous sommes très honorés que vous ayez choisi notre restaurant pour fêter cet événement, monsieur Chambers. Permettez-moi de vous dire que votre fiancée est bien jolie. Vous formez un très beau couple.

— Merci, Pierre.

Franck prit Tabatha par la main pour l'entraîner dehors.

— Tu crois qu'on a été convaincants dans nos rôles ? demanda-t-elle.

— Nous avons été parfaits.

— Ce maître d'hôtel s'y est vraiment laissé prendre ?

— C'est son intérêt.

— Pourquoi ?

— Pour son restaurant, c'est une excellente publicité. Et toute publicité est bonne à prendre, ajouta-t-il d'un air détaché.

Rien ne laissait prévoir qu'il allait se jeter sur elle alors qu'ils marchaient tranquillement. Il la poussa contre un mur en cherchant sa bouche avec avidité.

Lui résister ? Le repousser ? Elle n'y songea même pas. Au contraire, elle répondit à son baiser avec la même ardeur, la même violence.

Quelques instants plus tard, comme si rien ne s'était passé, ils se mirent à flâner dans les rues.

— Oh, regarde ! s'exclama-t-elle.

Elle ralentit le pas pour contempler un dessin à la craie que réalisait un artiste : un autoportrait, au regard hanté.

« Dieu, qu'il est maigre, songea-t-elle, apitoyée. Et dire qu'avec tout ce talent, il est condamné à mendier. La vie est vraiment injuste. »

Elle s'attendit que Franck l'empêche de s'attarder en proférant quelques mots méprisants, mais il s'approcha de l'artiste pour observer son travail.

— Très ressemblant..., dit-il.

— Merci.

— Pouvez-vous faire le portrait de ma fiancée ?

Embarrassée, Tabatha aurait voulu partir, mais il était trop tard. Elle dut prendre place sur le tabouret pliant réservé aux intéressés.

Le jeune artiste fixa une feuille sur son chevalet et commença à dessiner à l'aide d'un fusain.

Quelques minutes plus tard, sans qu'un seul mot ne soit échangé, Franck prit le dessin en échange de quelques billets.

Elle attendit qu'ils soient dans une rue adjacente pour demander à voir son portrait. Il déroula la feuille.

— Superbe ! Enfin... Je parle du dessin, pas du modèle, corrigea-t-elle en devenant écarlate.

— Ce type a vraiment du talent, admit Franck.

— Oui, mais Aiden en a encore plus.

Il esquissa un sourire méprisant, et accéléra le pas. Elle dut courir pour le rattraper.

— Aiden a beaucoup de talent, insista-t-elle. D'ailleurs, il vient de vendre un tableau.

— Celui qui l'a acheté n'y connaissait sûrement rien.

— Aiden est un artiste, un vrai. Pourquoi le traites-tu avec un tel mépris ?

— Parce que je n'aime pas les gens qui perdent leur temps en rêvant, plutôt que de faire face à leurs responsabilités.

— Aiden n'aurait-il pas le droit de rêver ?

Il s'immobilisa brusquement.

— Et moi ? Tu crois que je n'ai jamais eu de rêves ? Tu crois que je suis heureux de rester enfermé toute la journée dans un bureau à surveiller les cours de la Bourse ?

— Mais tu aimes ça.

— Ah, bon ! J'aime ça ! Qui te l'a dit ? Aiden ? Ma mère ? Eh bien, ils se trompent.

— Pourquoi le fais-tu alors, si ça ne te plaît pas ?

Il eut un rire dur.

— Parce qu'il faut bien que les Chambers continuent à vivre comme ils ont toujours vécu : dans le luxe. Mon père a travaillé comme un fou pour faire des sociétés familiales ce qu'elles sont aujourd'hui. Je continue sur sa lancée, et j'ai réussi à construire un véritable empire. Seulement c'est très rentable à condition que l'on y consacre pratiquement ses jours et ses nuits. Si ma mère ne pouvait plus acheter de fourrures, de bijoux ou de robes griffées, et si Aiden devait dire adieu à ses costumes de créateurs, tu imagines le drame ?

Cette fois, Tabatha ne sut que répondre.

— J'aurais pu tout laisser tomber, moi aussi. Nous ne serions pas morts de faim, loin de là. Mais nous aurions dû réduire notre standing.

— Et alors ? Il n'y a pas que l'argent dans la vie. Tu crois que je ne pense qu'à ça, mais c'est faux. J'ai ma propre échelle des valeurs.

L'avait-il seulement écoutée ?

— Avant d'acheter quelque chose, ma mère ne s'abaisse jamais à en demander le prix, poursuivit-il. Elle n'hésite pas non plus avant de refaire entièrement la décoration d'une maison, d'installer une nouvelle piscine ou un court de tennis. Je la crois incapable de compter. Quant à Aiden...

Il soupira.

— S'il avait consenti à venir travailler un peu avec moi, ne serait-ce que deux jours par semaine, j'aurais pu souffler un peu.

Tabatha demeura silencieuse. Jusqu'à présent, elle n'avait entendu que la version d'Aiden, et maintenant qu'elle prenait connaissance d'un autre son de cloche, elle se rendait compte que son ami n'avait pas raison sur toute la ligne, comme elle l'avait jusqu'à présent imaginé. L'agréable vie de bohème que menait Aiden coûtait cher à son frère aîné.

— Ce n'est pas seulement un rêveur, observa-t-elle avec moins de conviction. Il deviendra un grand peintre.

— Comme toi tu deviendras une grande danseuse.

— Non, reconnut-t-elle. Je suis une bonne danseuse, mais je ne serai jamais une étoile.

Stupéfaite de s'entendre faire un tel aveu, elle poursuivit à mi-voix, comme si elle se parlait à elle-même.

— C'est la première fois que je le reconnais. J'ai espéré l'impossible, mais au fond, j'ai toujours su que je n'avais pas cette étincelle qui transfigure certaines danseuses. Et cette étincelle, Aiden la possède. Il a un talent fou. Ses tableaux me touchent à un point que tu n'imagines pas. Et je ne suis pas la seule à éprouver cela. Va les voir à la galerie où il expose en ce moment. Tu devrais également y emmener tes parents. Aiden est peut-être très égoïste quand il tient à vivre son rêve, mais avec un don comme le sien, je ne crois pas qu'on ait le choix.

Sans faire le moindre commentaire, Franck la prit par le bras et l'entraîna vers le grand casino de Melbourne.

Il s'arrêta un instant pour contempler l'énorme bâtisse vers laquelle les gens se dirigeaient en foule, comme autant d'insectes attirés par les lumières qui semblaient se refléter dans le ciel.

— Alors, c'est donc là où passe tout ton argent ? dit-il.

— Tu crois vraiment que je vais m'y précipiter une fois que tu auras tourné le dos ? rétorqua-t-elle en riant.

Mais lui ne riait pas, la contemplant autant avec curiosité que pitié.

— Allons-y, je sais que tu en meurs d'envie.

— Je croyais que le casino m'était interdit.

— Tu n'as pas encore signé le contrat. Et si tu avais bien lu certaines petites lignes, tu aurais vu que tu pouvais y aller à condition que je t'y accompagne.

— Pourquoi veux-tu m'y emmener ? Encore un test ?

— Peut-être... Beaucoup de mes clients étrangers aiment y faire un tour. Tu devras parfois venir avec nous.

— Tu veux voir comment je me comporte ? Tu crains que je ne devienne folle en voyant les machines à sous ?

— Je pensais que tu aurais une préférence pour la roulette ? s'étonna-t-il.

— Oh, tu sais, du moment que je joue..., se moqua-t-elle.

Elle n'était venue qu'une fois au casino, en compagnie de son amie Jessica. Elle avait perdu vingt dollars aux machines à sous, mais heureusement, elle savait à peu près comment celles-ci fonctionnaient.

Ils flânèrent un instant sous les arcades du bâtiment, où se succédaient les boutiques de luxe.

Tabatha marqua une pause devant une vitrine.

— Que regardes-tu ? Ces pantoufles ?

Visiblement, il s'ennuyait.

— Ce ne sont pas des pantoufles, releva-t-elle. Ce sont des mules en daim noir. Une merveille...

— La robe aussi est jolie.

Il s'agissait d'une longue robe en velours noir d'une exquise simplicité.

— Jolie, mais bien trop chère pour moi.

Craignant qu'il ne se méprenne, elle se défendit aussitôt.

— Pas question que tu me l'offres ! En ce moment, on fait du lèche-vitrines, ce que j'adore. Mais ça ne va pas plus loin. Ne t'imagine pas que je suis en train de... euh, de...

Il esquissa un sourire, amusé par sa véhémence.

— De toute manière, en ce moment, tu ne penses qu'à jouer, non ?

— Bien sûr.

Ils avaient l'air d'un couple comme les autres et Tabatha se dit qu'il n'y avait rien de plus agréable au monde que de se promener ainsi, main dans la main.

Cette pensée la fit sourire.

— Tu as l'air contente, remarqua-t-il.

— Oui. On passe une bonne soirée, tu ne trouves pas ?

— Et comment ! observa-t-il d'un ton grinçant. Le casino représente le summum du plaisir pour toi, n'est-ce pas ?

Elle se dégagea brusquement et s'arrêta. Franck poursuivit son chemin, comme si de rien n'était, puis il se retourna.

— Que se passe-t-il ? Tu as vu autre chose en vitrine ?

Il paraissait irrité, mais elle ne se laissa pas démonter.

— Tu sais ce que j'étais en train de me dire ?

— ... que tout irait bien mieux si tu faisais un petit effort d'amabilité.

Cette remarque le prit visiblement au dépourvu, et sur l'instant, il ne sut quoi répondre.

— On pourrait essayer d'être agréable l'un envers l'autre, reprit-elle. Et pas seulement devant témoins. Si nous n'arrêtons pas de nous disputer, les six mois à venir vont être un enfer.

— D'accord, grommela-t-il.

— Nous avons conclu un marché, poursuivit-elle. Ça sert à quoi de toujours m'attaquer ? Après tout, c'est toi qui es venu me trouver. Moi, je ne demandais rien.

— D'accord, d'accord ! dit-il avec une visible impatience.

— D'accord, d'accord, répéta-t-elle sur le même ton. Tu t'es entendu ? Tu te trouves aimable, en ce moment ?

— Que te faut-il ?

Soudain, il se pencha et déposa un baiser sur ses lèvres.

— Et comme ça, c'était suffisamment aimable ? demanda-t-il en l'entraînant au cœur du casino.

La foule, le cliquetis des machines à sous, les croupiers en smoking, les jetons sur les tapis verts... Tabatha comprit alors que sa grand-mère puisse se laisser entraîner par cette atmosphère étourdissante. Elle-même se sentait grisée.

Mais quelle en était la cause ? Le champagne ? Le casino ? L'homme qui la tenait à présent par la taille ?

S'efforçant de prendre l'air d'une habituée, elle glissa un billet dans un distributeur de jetons. Une pluie de rondelles métalliques tomba dans un grand gobelet en plastique. Puis, sans plus prêter attention à son compagnon, elle alla s'asseoir devant l'une des machines et contempla l'écran lumineux où scintillaient des cœurs, des cerises et autres fruits. Après une hésitation, elle introduisit un jeton dans la fente et actionna la poignée. Les fruits colorés se mirent à tourner. Puis trois symboles en or, représentant un dollar, s'alignèrent sur l'écran alors qu'une ritournelle assourdissante résonnait dans la salle. Perplexe, elle contempla la machine sans savoir ce que tout cela signifiait.

— Qu'attends-tu ? lui fit remarquer Franck. Tu as droit à la roue de la chance.

L'un des boutons scintillait. Elle appuya dessus, au hasard. La roue de la chance tourna, et lorsqu'elle s'arrêta, une musique triomphante retentit. Deux malheureux jetons tombèrent dans le plateau métallique.

— Il n'y a pas de quoi pavoiser, se moqua-t-il.

Tabatha ne tarda pas à épuiser sa provision de jetons. Lorsque le gobelet fut vide, elle éprouva un soulagement. Elle en avait assez d'appuyer sur ces touches pour voir les cœurs et les fruits tourner dans une ronde infernale et sans que la machine lui rende quoi que ce soit.

— Voilà ! dit-elle enfin.

— Tu as fini ? s'étonna-t-il. J'aurais juré qu'on allait demeurer ici pendant des heures. Tu tiens à me prouver que tu sais te contrôler, c'est ça ?

— C'est ça, répéta-t-elle, tout en se demandant comment les gens pouvaient rester aussi longtemps dans cet endroit.

Il l'examina, les sourcils froncés.

— Tu me surprendras toujours. Maintenant, viens, je vais te montrer autre chose.

Il la prit par la main et l'entraîna vers les Escalator. Celui qui donnait accès au dernier étage était gardé par deux cerbères en uniforme. Ils les laissèrent passer après avoir salué Franck.

— Tiens, tu es donc connu dans cet antre du vice ? se moqua-t-elle gentiment.

— Je te l'ai dit, il m'arrive d'y emmener des clients.

Ils pénétrèrent dans des salons très différents de ceux des autres étages. Ils étaient le domaine de Franck, avec des gens fortunés, de l'élégance discrète. Au-dessus des tables, où l'on jouait gros, stagnait un nuage de fumée bleue. L'odeur du cigare saisit Tabatha à la gorge. Elle craignait qu'il ne lui demande de prendre place à une table de roulette, de craps ou de black-jack. Elle n'avait aucune idée des règles et aurait été bien en peine de tenir convenablement son rôle de joueuse invétérée.

— Pourquoi m'as-tu emmenée ici ?

— Pour te donner une leçon. La mise minimum, ici, est de mille dollars.

— Mille dollars ! répéta-t-elle, saisie.

— Je vais te démontrer combien il est facile de se ruiner.

— Ce n'est pas la peine.

Les choses commençaient à aller trop loin.

— Je ne sais pas pourquoi tu t'es mis ça en tête, mais je t'assure que je n'ai jamais eu le moindre problème avec le jeu.

— Serais-tu soudain guérie ?

— J'ai misé vingt dollars dans une machine à sous, en bas, et ça m'a suffi. Ici, il faut miser au minimum mille dollars, et je trouve ça complètement fou.

— Oui, c'est fou, sourit-il. Tu vois le joueur qui nous fait face ? Celui qui s'éponge le front ? Je parie que lui aussi prétendrait n'avoir aucun problème. Et pourtant le croupier vient de lui ratisser une pile de jetons, une véritable fortune. S'il continue ainsi, il perdra sa voiture, sa maison, et probablement sa femme, si elle ne l'a pas déjà quitté. Car vivre avec un joueur, c'est l'enfer.

Elle soupira, ne le sachant que trop bien.

— Et tu vois la femme en vert, là-bas ? poursuivit-il, impitoyable. Elle se mord la lèvre, elle a le regard hanté, elle n'arrête pas de boire… Si elle avait le moindre bon sens, elle quitterait la table de jeu sur-le-champ.

Pensif, il poursuivit :

— Le montant de la mise importe peu. Que ce soit vingt ou vingt mille dollars, la dépendance est la même.

76

Ce que je voudrais te faire comprendre, c'est que si tu ne peux pas te permettre de perdre ce que tu as misé, tu n'as rien à faire ici.

Il l'entraîna vers un canapé. Une serveuse s'approcha presque aussitôt avec un plateau chargé de boissons.

Franck prit deux coupes de champagne et lui donna un pourboire, les boissons étant gracieusement offertes à cet étage où l'on jouait des fortunes.

— Lorsque je viens avec des clients, je suis obligé de jouer, reprit-il. Mais je ne manque jamais de me fixer une limite. Dès que j'ai perdu la somme que je me suis autorisé, je m'arrête.

— Bravo. Tu as énormément de volonté.

— Pourquoi tant de sarcasme ? Je croyais qu'on devait être aimables l'un envers l'autre ?

— Pas quand tu me fais la morale.

— J'essaie de te faire entendre raison, c'est différent.

— C'est inutile, rétorqua-t-elle, agacée. C'est la deuxième fois que je mets les pieds ici ! Celle qui a un problème, ce n'est pas moi, c'est ma grand-mère.

Mais il ne semblait pas l'écouter.

— Je t'ai observée, murmura-t-il. Dès que nous sommes entrés, tu as changé. Tes yeux brillaient, tu étais surexcitée, méconnaissable. Alors explique-moi cette soudaine euphorie.

— Nous avons dîné dans un restaurant fantastique, tu m'as offert une bague fabuleuse… et je n'aurais pas le droit d'être euphorique après tout ça ?

— Tu as un problème avec le jeu, insista-t-il. Tu essaies de faire diversion, mais j'y vois clair.

— Je te dis que c'est ma grand-mère qui passe son temps devant les machines à sous ! C'est elle qui a des dettes !

Mais Franck s'entêtait.

— Tu refuses de reconnaître ton problème. Les joueurs ont toujours de bonnes excuses.

Il avisa le salon et les joueurs.

— Nous allons nous asseoir à une table pendant cinq minutes. Nous allons commencer à jouer et nous devrons nous arrêter quand je le déciderai.

Il se leva et prit la place de la femme en vert qui, les larmes aux yeux, partait d'un pas mal assuré, les mains crispées sur son sac.

Tabatha termina sa coupe de champagne et le rejoignit.

— Je croyais que ça ne t'intéressait pas, observa-t-il, le visage impassible.

Il était assis devant plusieurs piles de jetons. Le numéro sur lequel il avait misé venait de sortir et le croupier en poussait d'autres, colorées, vers lui.

Plus que jamais enivrée par l'atmosphère et le champagne, elle s'appuya langoureusement contre lui.

— Tu as raison, admit-elle. J'ai un problème. Je ne sais pas comment m'arrêter...

Il esquissa un sourire suffisant sans comprendre ni deviner que son problème n'avait rien à voir avec le jeu.

6.

Franck arrêta sa luxueuse voiture devant la maison que Tabatha avait effectivement héritée de ses parents.

— Eh bien, merci pour la leçon, s'esclaffa-t-elle. Elle a été vraiment concluante. Combien tu as gagné ?

Il ne put refréner son fou rire, lui aussi.

— Une petite fortune ! On peut dire que ça m'a réussi de vouloir te faire une démonstration des méfaits du jeu !

— J'ai bien l'intention de tirer profit de ton enseignement, renchérit-elle. Il était très convaincant.

— Tu es impossible, murmura-t-il.

Le rire de Tabatha mourut sur ses lèvres. Lorsqu'il la regardait ainsi, les battements de son cœur s'accéléraient et lui faisaient perdre tous ses moyens.

— Tu aimerais un café ? proposa-t-elle spontanément.

Une certaine tension devint presque palpable.

— Ce ne serait pas raisonnable, répondit-il en s'efforçant de sourire.

Puis il s'éclaircit la voix.

— A ma grande surprise, cette soirée a été réussie.

— Tu dis ça par gentillesse, répondit-elle, loin d'être dupe.

Il la fixa. Et dans la lueur argentée du clair de lune, ses yeux semblaient plus sombres que jamais.

— Ne voulais-tu pas que je me montre agréable ?

— Oui, mais...

— Rentre vite, interrompit-il. Tu risques d'attirer tous tes voisins aux fenêtres. J'ai vu quelques rideaux se soulever.

— Comment as-tu pu savoir où j'habitais ? s'étonnat-elle encore. Tu as engagé un détective pour me surveiller ?

— J'ai simplement consulté l'annuaire téléphonique.

Elle parut un peu déçue et songea qu'elle aurait pu s'en douter.

— A présent, tout dépend de toi, déclara-t-il avec gravité.

— J'ai passé le test du casino haut la main, non ?

— Je dois dire que j'ai été impressionné par ton self-contrôle.

Il esquissa un sourire et elle résista à l'envie de caresser du bout des doigts ses lèvres sensuelles.

— Je pars demain pour les Etats-Unis, reprit-il. Si tu acceptes de signer le contrat, il te suffira de l'apporter à mes avocats. L'adresse de leur cabinet figure sur les papiers.

C'était si simple que ça lui fit presque peur.

— Combien de temps resteras-tu absent ?

— Jusqu'à la date de notre mariage. Ce qui vaut mieux.

— Pourquoi ?

— Ça nous évitera d'avoir à jouer les fiancés amoureux. Je te téléphonerai pour te préciser certains détails, et mon chauffeur te conduira pour faire quelques achats. Il faut que tu aies des tenues à la hauteur.

— Ma robe de mariée...

— Je m'en suis déjà occupé. Elle te sera livrée dans les jours à venir.

— Tu étais sûr que j'allais dire oui ? s'étonna-t-elle.

— Pas du tout, mais je préférais choisir ta robe avant de partir.

— Et si je ne signe pas ?

Il haussa les épaules.

— Tu auras une robe de mariée dans ton placard, ça peut toujours servir. Mais si tu signes, le chauffeur viendra te chercher pour aller à Lorne deux jours avant le mariage.

Elle le dévisagea avec angoisse.

— Je ne te reverrai pas entre-temps ?

— On se retrouvera là-bas, mais je t'appellerai avant, de New York.

— Et la préparation de la cérémonie, les invitations...

— Ne t'inquiète pas pour ça, ma mère sera ravie de s'en charger.

Il se pencha et lui effleura les lèvres d'un baiser.

— A bientôt.

Le lendemain matin, un bref coup de sonnette tira Tabatha d'un sommeil d'autant plus profond qu'elle ne s'était pas endormie avant 4 heures du matin.

Et si tout cela n'avait été qu'un rêve ? S'il venait lui apprendre qu'il s'agissait d'une plaisanterie ?

Un second coup de sonnette retentit, plus long, cette fois.

Elle enfila un peignoir et descendit. Un livreur se tenait sur le seuil. Il lui tendit un grand carton blanc enrubanné et un bordereau.

— Vous n'avez qu'à signer ici.

Elle alla chercher un pourboire, et au moment où elle revenait, Aiden arrivait. Jamais elle ne l'avait vu dans cet état. Son visage était pâle et il semblait fou de rage. Il attendit le départ du livreur pour la pousser sans ménagement à l'intérieur de la maison.

— Tu es devenue folle ? s'écria-t-il.

Il lui tendit un journal.

— Page 4 !

Elle ouvrit le quotidien. Un gros titre lui sauta aux yeux :

« Mariage dans le milieu de la haute finance ! »

En dessous du titre figurait sa photo. Elle était en compagnie de Franck, et il l'embrassait passionnément à la sortie du restaurant.

Son brusque comportement de la veille au soir lui avait paru étrange, mais elle comprenait à présent. Il avait dû apercevoir le photographe et en avait profité pour donner plus de véracité à leur comédie. L'amertume la submergea.

Aiden lui arracha le journal des mains.

— « Nous nous sommes rencontrés à un mariage, lut-il. Et ça a été le coup de foudre. » Tu te moques de moi !

Tabatha ne se faisait plus aucune illusion. A peine leur avait-il apporté le champagne que le maître d'hôtel avait dû s'empresser d'informer la presse, contre espèces sonnantes et trébuchantes, bien évidemment.

— Tu es devenue folle ? s'exclama Aiden.

— Rien n'est encore décidé, se défendit-elle.

— Ce n'est pas ce que raconte ce torchon. Et tu ne m'as rien dit !

— J'avais l'intention de le faire ce matin.

— Tu comptes l'épouser ?

— Je... je ne sais pas encore.

— C'était donc avec lui que tu as passé la nuit, au mariage de Simone.

— Comment as-tu su que... que j'avais passé la nuit avec quelqu'un ?

— J'étais dans un triste état, admit-il sans le moindre remords. Mais quand je me suis levé pour boire un verre d'eau, je me suis quand même rendu compte que tu n'étais pas là. Comme ce n'était pas mon affaire, je ne t'ai rien dit le lendemain. Mais si tu étais avec lui, j'estime avoir mon mot à dire.

Il jeta rageusement le journal sur le sol.

— Alors, tu étais avec lui, oui ou non ?

Incapable d'affronter son regard, elle baissa la tête. Et pour Aiden, qui la connaissait bien, son attitude valait tous les aveux.

— Je t'avais pourtant mise en garde ! Je t'avais dit de l'éviter ! C'est mon frère, d'accord. N'empêche que, quand il s'agit des femmes, il se comporte en véritable salaud.

— Je t'assure qu'il a été très gentil, protesta-t-elle sans conviction.

— Il a été très gentil parce que tu fais ce qu'il veut, rétorqua-t-il avec un rire glacial. Je t'avais prévenue : il va te broyer. Tu ne rends pas très bien compte, Tabatha, tu t'es mise dans un sacré pétrin.

— Qu'est-ce que tu en sais ?

83

— Je le connais. Il te fera souffrir d'une manière dont tu n'as pas idée. Comment as-tu pu te laisser embobiner à ce point ? Et je t'en prie, ne viens pas me raconter l'histoire du coup de foudre ! Pas à moi ! Vous avez conclu un marché, non ?

Elle hocha la tête.

— Il m'a proposé de l'argent.

— Je t'en avais proposé aussi ! s'écria-t-il. Tu as refusé !

— Il m'en a offert davantage. Bien davantage…

— Ce n'est pas une raison, je te connais ! Il aurait pu mettre une fortune à tes pieds que tu l'aurais refusée ! Le fond de l'histoire est tout simplement que tu l'aimes !

— Tu es fou ?

Aiden jura, et c'était la première fois qu'elle le voyait dans une telle colère.

— Tu l'aimes ! répéta-t-il. Et qu'est ce que tu espères ? Qu'il t'aimera, lui aussi, avec le temps ?

— L'aimer ? Lui ? Mais je le connais à peine. Tu es ridicule, Aiden.

Ses protestations ne parurent guère convaincantes, même à ses propres oreilles.

— Ça ne t'a pas empêchée de le rejoindre dans sa chambre, observa-t-il. Et maintenant, vous allez vous marier ? Qu'est ce que ça signifie ? Ne me dis pas que c'est à cause de l'argent, je ne le croirai pas.

Ce que tout cela signifiait ? Tabatha ne le savait pas elle-même.

— Il existe une certaine attirance physique entre nous, avoua-t-elle enfin. Et financièrement, je sortirai gagnante. Tu imagines ? Je pourrai enfin réaliser mon rêve et ouvrir une école de danse.

Elle hocha la tête.

— Toi aussi, tu m'as proposé de l'argent, et même le mariage. Mais crois-tu que les gens auraient été dupes longtemps ?

Il lui saisit brusquement la main.

— Ce n'est pas vrai ! Il t'a donné le rubis ?

— Il s'agit d'un prêt. Je devrai le lui rendre quand… quand tout sera fini.

— Il avait juré qu'il ne le passerait plus jamais au doigt d'une femme, à moins que ce ne soit la femme de sa vie.

— Il a déjà été fiancé ? Quand ?

— Il y a deux ans. Tout le monde pensait que Louise était parfaite. Et très peu de temps avant la date prévue pour le mariage, elle a eu l'idée saugrenue de demander à un avocat de concocter un contrat prénuptial très compliqué dans lequel elle se retrouvait forcément gagnante. Elle croyait que Franck n'oserait pas rompre à la dernière minute.

— Et il l'a fait ?

— Dès qu'il a découvert qu'elle n'en voulait qu'à son argent, il l'a immédiatement laissé tomber.

Il la dévisagea comme s'il la voyait pour la première fois.

— Mais toi, ce n'est pas pour l'argent.

Il avait raison, même si elle n'osait pas encore se l'avouer.

— Il croit que c'est moi qui ai des dettes de jeu, murmura-t-elle.

Aiden ouvrit de grands yeux.

— C'est la meilleure !

— J'ai essayé plusieurs fois de lui expliquer ce qu'il en était, lui assura-t-elle. Seulement, il n'a pas voulu m'écouter.

Elle haussa les épaules.

— Il peut bien croire ce qu'il veut, après tout, ça m'est bien égal. Et en fin de compte, je trouve même ça assez amusant.

— Il le découvrira, s'il ne l'a pas déjà fait, et ça l'arrange sûrement de ne rien dire. Il est tellement calculateur... Il se sert de toi, Tabatha. Quand il estimera t'avoir suffisamment utilisée, il te jettera, et tu n'auras plus que tes yeux pour pleurer.

Voyant que des larmes coulaient déjà sur ses joues, il se radoucit.

— Il n'est pas trop tard pour tout arrêter. Ton nom ne figure pas dans le journal, Franck peut faire taire les rumeurs en cinq minutes s'il le souhaite, il l'a déjà fait pour moi... Il demandera qu'on publie un démenti et tout sera vite oublié.

Le problème était que Tabatha ne le souhaitait pas.

— Tu me détestes ? demanda-t-elle timidement.

— Non, mais j'ai peur pour toi.

— Pourquoi ?

— Parce que tu es ma meilleure amie. Parce qu'il est mon frère. Parce que tout va aller mal... et parce que je ne voudrais pas avoir à me brouiller avec l'un de vous.

— Il n'y a aucune raison à cela.

— Espérons-le, soupira-t-il.

— Tu viendras au mariage ? Tu accepteras de remplacer mon père ?

— Là, tu m'en demandes un peu trop.

— Aiden, je t'en prie ! Je vais déjà être tellement nerveuse... Au moins, avec toi, je me sentirai rassurée. Je n'aurai pas besoin de jouer la comédie.

— Très bien. Mais ne t'attends pas que je te fasse un cadeau. Ce sera pour plus tard, quand il faudra t'acheter des mouchoirs. Je t'en ferai livrer tout un camion.

— Je sais ce que je fais, assura-t-elle. Ne t'inquiète pas, je ne pleurerai pas.

— Tu pleures déjà.

De nouveau, il soupira.

— Bon ! Je vois qu'il n'y a rien à faire pour l'instant. Mais le moment venu, je serai là pour ramasser les pots cassés.

Il l'embrassa sur la joue et partit.

Une fois seule, Tabatha s'essuya les yeux. Puis elle se souvint du paquet que le livreur avait apporté au moment où Aiden était arrivé.

Elle ouvrit la boîte, écarta les papiers de soie et laissa échapper une exclamation de stupeur en découvrant la robe en velours noir et les mules en daim qu'elle avait admirées la veille, dans l'une des boutiques du casino.

Une carte imprimée à l'enseigne du magasin accompagnait l'envoi.

Une carte sur laquelle Franck s'était contenté de tracer hâtivement quelques mots.

« J'espère que c'est la bonne taille. »

Rien d'autre. Pas de déclaration d'amour. Pas un seul mot tendre.

Elle eut un rire amer.

— A quoi t'attendais-tu ? se demanda-t-elle.

Puis elle se redressa et, d'une main ferme, alla signer le contrat déjà paraphé par Franck.

Elle aurait six mois pour le convaincre qu'elle n'était pas la fille cupide qu'il croyait. Six mois pour tenter de se faire aimer.

7.

— Voici votre chambre, dit Marjory Chambers.

Elle appuya sur un bouton et le store électrique se leva lentement, découvrant la vue magnifique sur l'océan.

— Vous allez sûrement me trouver un peu vieux jeu en ne vous mettant pas dans la même chambre que Franck, s'excusa-t-elle. Mais je ne veux pas choquer mon mari, il a encore plus de principes que moi...

Puis, avec un sourire complice, elle désigna une porte.

— Vos chambres communiquent. Une fois seuls, vous ferez ce que vous voudrez, et les apparences resteront sauves.

La demeure de vacances des Chambers n'avait rien d'une simple villa sur la plage. Elle était immense et entièrement blanche, les principales notes de couleur étant apportées par le sable blond et la mer indigo.

Tabatha avait été immédiatement séduite par les vastes pièces de réception dont les murs étaient ornés de photos en noir et blanc et objets d'art mexicains.

— Jeremy se repose, reprit son hôtesse. A 19 heures, nous nous retrouverons sur la terrasse pour prendre un verre. En attendant, mettez-vous à l'aise, promenez-vous, visitez la maison ou faites la sieste... N'oubliez pas que vous êtes ici chez vous...

Elle sourit de nouveau.

— Ces derniers temps n'ont pas dû être faciles. Quel dommage que Franck ait dû se rendre aux Etats-Unis juste à ce moment-là. Je commençais à me demander s'il reviendrait à temps...

Après une brève pause, elle reprit :

— Il ne faut surtout pas qu'il voie votre robe de mariée avant la cérémonie. Vous me la montrez ?

Cette femme était si gentille, si prévenante. Comment pouvait-on la tromper ?

A cette pensée, Tabatha se sentit envahie de culpabilité.

— Vous me la montrez ? insista Marjory.

Elle ne put faire autrement que d'ouvrir sa valise neuve pour en sortir la robe de soie ivoire que Franck lui avait fait envoyer.

— Ravissante ! s'exclama Marjory. Vous allez être une bien jolie mariée.

Mal à l'aise, Tabatha s'éclaircit la voix.

— Je vous ai acheté quelques chocolats, dit-elle.

Que pouvait-on offrir à quelqu'un qui avait tout ?

Après mûre réflexion, elle s'était décidée pour des chocolats choisis dans la meilleure confiserie de Melbourne. Et cette boîte lui avait d'ailleurs coûté une petite fortune.

En rougissant, elle tendit le paquet à son hôtesse.

Marjory l'embrassa.

— Vous êtes adorable, Tabatha.

Les pneus d'une voiture crissèrent sur les graviers. Elle sortit aussitôt sur le balcon.

— Tiens, voilà Aiden, observa-t-elle d'un ton neutre.

Tabatha eut la conviction qu'elle se serait montrée beaucoup plus chaleureuse en voyant arriver son fils aîné.

— Je vais l'accueillir. Vous venez avec moi ?

— Je dois défaire ma valise, s'excusa-t-elle, ne souhaitant nullement entendre Aiden lui faire la morale une fois de plus.

— Les domestiques s'en chargeront, allons venez, insista Marjory.

Elle laissa alors échapper une petite exclamation confuse.

— Suis-je sotte ! J'aurais dû deviner ! Vous voulez vous faire belle pour l'arrivée de Franck. Eh bien, je vous laisse.

Restée seule, Tabatha défit sa valise. Puis, après s'être recoiffée, maquillée et parfumée, elle put enfin s'asseoir sur la terrasse pour contempler la mer.

Elle n'avait guère eu le temps de se reposer au cours de ces dernières semaines. D'une part, elle était prise tous les soirs au théâtre, et de l'autre, il lui avait fallu chercher une danseuse capable d'apprendre la chorégraphie du spectacle en quelques jours afin de la remplacer. Elle avait dû ensuite s'organiser avec la banque pour régler les dettes de sa grand-mère, annoncer son mariage à ses amis stupéfaits, et enfin acheter quelques tenues en accord avec son nouveau statut. Le chauffeur de Franck l'avait emmenée de ce fait chez les plus grands couturiers de Melbourne où elle avait désormais un compte illimité.

Mais, surtout, elle avait compté les jours qui la séparaient du moment où elle reverrait enfin Franck.

Son avion devait atterrir à 16 heures, si du moins il était à l'heure.

Combien de temps lui faudrait-il ensuite pour arriver à Lorne ?

Sa nervosité allait croissant.

Soudain, Marjory cria dans l'escalier.

— Tabatha ! Il est là !

Elle prit une profonde inspiration, se força à sourire et descendit l'escalier au moment où Marjory ouvrait la porte.

Près d'un mois s'était écoulé, et elle s'était imaginé que ses sentiments se seraient estompés, voire effacés avec le temps. Peut-être le trouverait-elle infiniment moins séduisant qu'elle ne l'avait cru.

C'était une erreur. Dès que leurs regards se croisèrent, le rythme de son cœur s'accéléra. Oui, c'était bien lui ! Le seul, l'unique ! Celui qu'elle aimerait jusqu'à la fin de ses jours !

Il ne s'était pas trompé en prétextant un coup de foudre, même si elle ne le lui avouerait jamais.

— Je n'ai pas droit à un baiser ? demanda-t-il.

Il possédait un tel magnétisme qu'elle se précipita dans ses bras, sans réfléchir.

Il la serra passionnément contre lui.

Tout cela n'était que comédie, elle le savait, mais c'était si bon...

— Il va falloir que je m'absente plus souvent si j'ai droit chaque fois à un accueil pareil, dit-il en riant.

— Sûrement pas ! s'exclama sa mère. Une fois marié à une aussi charmante épouse, tu ne pourras plus partir à tout moment. Il va falloir que tu apprennes à déléguer une partie de tes responsabilités.

— Nous verrons, riposta-t-il d'un ton léger.

Jugeant qu'un peu d'alcool l'aiderait à faire face à la situation, Tabatha ne refusa pas le gin-tonic que lui tendit Marjory.

— Tu es superbe, lui chochota gentiment Aiden.

Observant qu'il n'était plus fâché, elle lui adressa un sourire reconnaissant.

— Où est père ? demanda Franck.

— Il dort.

— Comment va-t-il ?

— Il se fatigue vite. Tu le verras tout à l'heure : il dînera avec nous.

— Je ferais bien d'aller me reposer, moi aussi, dit-il.

Il prit Tabatha par la taille et l'attira contre lui.

— Tu m'apporterais un whisky ?

Il était un excellent acteur, et quand elle leva les yeux vers lui, il ne manqua pas de se pencher pour déposer un baiser sur ses lèvres.

— D'accord ?

— D'accord, répondit-elle d'une voix troublée.

— Ah ! Les jeunes ! s'exclama Marjory dans un sourire radieux.

Franck avait déjà disparu. Tabatha versa un peu de whisky dans un verre en cristal taillé, y ajouta quelques glaçons et monta. Puis, après avoir frappé à la porte de son prétendu fiancé, elle entra dans la chambre. Les stores étaient baissés, si bien que la pièce se trouvait plongée dans une semi-obscurité. Elle ne le vit pas immédiatement et sursauta quand elle s'aperçut qu'il était à deux pas d'elle.

— Tu es bien nerveuse, observa-t-il.

— Il y a de quoi.

— Tout marche à merveille. Même Aiden semble s'être fait à cette idée.

— Tant mieux.

Ce n'était pas du reste de la famille Chambers qu'elle elle avait peur, mais de lui... et d'elle aussi.

Comment pouvait-elle lui avouer que sa proximité la terrifiait tout en faisant battre son cœur ? Qu'elle se sentait tour à tour envahie par des vagues de chaleur et de froid ?

— Comment s'est passé ton voyage ? demanda-t-elle.

— Bien. Tu as reçu ma carte postale ?

— Non.

— Elle arrivera après moi, dit-il en posant son verre sur une table de nuit.

Puis il dénoua sa cravate et s'allongea.

— Tu es fatigué ? demanda-t-elle.

— Normal, après autant d'heures d'avion.

— Ne me dit pas que tu es resté recroquevillé dans un fauteuil de la classe économique. Les Chambers voyagent en première, non ? A moins qu'ils ne disposent d'un jet privé ?

— Non. Et surtout ne va pas mettre cette idée dans la tête ma mère, elle déciderait qu'il nous en faut absolument un.

Elle esquissa un sourire, et il lui effleura les lèvres du bout de l'index.

— J'avais oublié à quel point tu es jolie quand tu souris, dit-il. Allonge-toi près de moi.

— Pourquoi ?

— Nous allons devoir partager le même lit, il faut qu'on s'habitue. Et de toute manière, je n'aime pas dormir seul.

Elle hésita.

— Ta mère nous a mis dans des chambres séparées.

— Tu es dans celle d'à côté ?

Elle acquiesça.

— Alors, les principes sont sauvegardés, ironisa-t-il.

Certes, les principes étaient sauvegardés et Marjory leur avait donné son autorisation tacite, mais Tabatha se sentait de moins en moins sûre d'elle, craignant ses propres réactions. Et si elle s'était écoutée, elle se serait jetée dans ses bras pour lui dire tout ce qu'elle ressentait, tout son amour... Mais un reste de raison l'en empêcha.

— Viens, insista-t-il.

Elle défit ses sandales et s'allongea à l'extrême bord du lit.

— On ne devrait pas, ce n'est pas bien, murmura-t-elle dans une ultime tentative désespérée.

— Tant pis. Ne reste pas si loin, répondit-il en l'attirant contre lui. Raconte-moi comment se sont passées ces dernières semaines et comment ta famille a accueilli la nouvelle.

— En fait de famille... je n'ai plus que ma grand-mère.

— Comment l'a-t-elle pris ?

— Elle a été à la fois surprise et contente, tout comme mes amis, d'ailleurs.

— Pourquoi surprise ?

— Parce que ça s'est passé très vite, répondit-elle dans un murmure. Mes amis ne croient pas beaucoup à ce coup de foudre, ils ont même essayé de me ramener sur terre. Et toi, tu y crois, au coup de foudre ?

— Non. Pas plus qu'à l'amour.

Elle laissa échapper une brève exclamation.

— Tu…

— Je crois au désir, à l'entente sexuelle, à l'amitié, mais à l'amour, comme dans les films ou les contes de fées, non, Tabatha. Ça n'existe pas.

— Tu te trompes.

Il l'enlaça sans la laisser s'expliquer davantage.

— Je sais que ça n'existe pas, insista-t-il. Chat échaudé craint l'eau froide…

— Je sais, dit-elle en fermant les yeux et en se blottissant contre lui. Aiden m'a raconté, pour Louise.

— J'imaginais que j'avais trouvé le grand amour, celui qui rime avec toujours…

— Ce n'est pas parce que les choses ont tourné mal avec une femme qu'elles se répéteront avec une autre.

— Tu lis trop de romans roses, se moqua-t-il, désabusé.

— Cette histoire t'a fait mal, mais ce n'est pas une raison pour penser que toutes les femmes sont les mêmes.

— Je parie que tu vas me parler de ma moitié d'orange. Seulement il faut que tu saches que quand une femme épouse un Chambers, c'est uniquement pour son argent. Il n'y a jamais eu d'autre raison, ce n'est pas près de changer, et ce n'est pas toi qui peux dire le contraire.

Elle demeura silencieuse.

Que pouvait-elle répondre à cela, en effet ?

— Je suis mort de fatigue, dit-il en s'étirant. C'est bizarre : j'ai souvent pensé à toi. Et crois-moi si tu veux, mais tu m'as manqué.

Il l'enlaça de nouveau et ils demeurèrent serrés l'un contre l'autre. Elle n'osa plus bouger, de peur de rompre la magie de l'instant, de peur de l'entendre se lancer de nouveau dans une critique amère des femmes et de la vie.

Il était peut-être le plus arrogant et le plus détestable de tous les hommes, mais elle se sentait merveilleusement bien au creux de ses bras.

8.

Tabatha n'avait pas perdu de temps pour se préparer.

Après avoir mis une robe chemisier de soie jaune et s'être légèrement remaquillée, elle rejoignit Franck et tous deux firent leur entrée dans le salon où s'étaient réunis les Chambers.

Tabatha agrippa la main de son futur mari. Elle avait bien besoin de son soutien pour faire face à cette famille qui allait devenir la sienne pendant six mois. Malgré tout, elle ne se faisait aucune illusion. S'il se montrait aussi prévenant, c'était simplement parce qu'il souhaitait que leur comédie soit réussie.

Jeremy Chambers avait changé. Les doigts de Franck se crispèrent sur ceux de sa future épouse quand il vit son père assis sur une chaise roulante. Amaigri, le teint pâle et les yeux creusés, il n'était plus que l'ombre de lui-même.

— Vous êtes en beauté, Tabatha, murmura-t-il en lui baisant la main. Nous sommes vraiment très heureux de vous accueillir dans notre famille.

Il retint une grimace de douleur et réussit à sourire pour conserver sa dignité.

— Comment vas-tu, Franck ? demanda-t-il en se tournant vers son fils aîné.

Ce dernier ne lui retourna pas la question, sachant pertinemment que son père détestait qu'on le plaigne.

— Les choses se sont bien passées aux Etats-Unis ? poursuivit Jeremy.

Franck, qui semblait n'attendre que cette question, se mit en devoir de faire à son père le rapport de son voyage d'affaires avec autant de détails et de précisions que s'il rendait des comptes à un conseil d'administration.

Tout en parlant, il avait lâché la main de Tabatha qui était allée rejoindre Marjory.

— Quel discours ennuyeux ! observa discrètement cette dernière en levant les yeux au ciel. Mais c'est exactement ce que veut Jeremy. Regardez-le ! Il est ravi. Il tient à ce qu'on le traite comme s'il était en pleine possession de ses moyens. Et c'est très difficile...

— Comment cela ?

— On a tendance à penser qu'il est diminué parce qu'il se déplace désormais en fauteuil roulant. Je dois me surveiller, car j'ai moi-même tendance à le traiter comme un enfant. Je lui parle plus fort, et parfois, je fais même les réponses à sa place.

Elle soupira.

— J'ai tort, je le sais.

Sa franchise la rendit encore plus sympathique aux yeux Tabatha.

— Avec le temps, vous vous habituerez à cette nouvelle situation, dit-elle.

Le visage de Marjory se tendit.

— Le temps... C'est surtout ça qui nous manque, hélas !

Aiden s'approcha de son frère et de son père avec un enthousiasme exagéré.

— Comment vous sentez-vous, père ? demanda-t-il. Je vous trouve meilleure mine, aujourd'hui.

— Voilà exactement ce qu'il ne faut pas lui dire, murmura Marjory. S'il croit que Jeremy est dupe...

Le patriarche ne l'était pas, et en guise de réponse, il adressa à son fils cadet un regard si noir que le pauvre Aiden faillit rentrer sous terre.

Il rejoignit Tabatha.

— Alors, ma belle ? Où en sont les préparatifs du mariage ? s'enquit-il.

— Je n'en ai aucune idée.

Il laissa échapper un rire sarcastique.

— On t'a priée de ne t'occuper de rien ?

— Exactement. Je suis juste censée arriver à l'heure.

Il l'enveloppa d'un regard soucieux.

— Tu es nerveuse ?

Ravie de pouvoir enfin ouvrir son cœur à quelqu'un, elle hocha la tête.

— Bien sûr que je suis nerveuse. Mets-toi à ma place.

— Que pense ta grand-mère de tout ça ?

— Elle a été stupéfaite, comme tous les autres.

— Tu as pu t'arranger avec la banque ?

— Sans problème.

Il baissa la voix.

— Tu ne lui rends pas service en la tirant chaque fois d'affaire. Il faut qu'elle se soigne, le jeu est une maladie. Si tu crois qu'elle va s'arrêter, tu te fais des illusions. Comme elle sait que tu voles toujours à son secours, elle va retourner à ses démons. Et étant donné qu'elle est incapable de se dominer, elle se retrouvera avec une dette encore plus élevée.

— Non. Elle a promis que...

— Comme la dernière fois, interrompit-il. Et les fois d'avant.

— Et la prochaine fois, il n'y aura pas forcément de milliardaire pour voler à mon secours quand les huissiers viendront frapper à la porte, soupira-t-elle.

Franck les avait rejoints sans qu'ils s'en aperçoivent. Il prit Tabatha par la taille.

— Quand tu parles comme ça, je t'aime encore plus, dit-il en déposant un baiser sur le bout de ton nez.

Elle rougit et retint sa respiration. Une fois de plus, les apparences étaient contre elle. Pourquoi avait-il fallu qu'il entende une conversation qui ne lui était pas destinée ? Il était arrivé au plus mauvais moment, et ce qu'il avait entendu ne pouvait que le renforcer dans ses convictions.

— Il faut que tu te fasses une raison, ma chérie, reprit-il d'un ton léger. Le milliardaire ne sera pas toujours derrière toi pour rembourser tes dettes. Aiden a raison, tu as un problème, un gros problème. Mais tu es majeure, et si ça t'amuse de mettre tout ce que tu possèdes dans les machines à sous, libre à toi.

— Vous avez l'air bien sérieux, tous les trois, observa Marjory en les rejoignant.

— On parlait du problème de Tabatha.

Sachant Franck capable de tout, cette dernière redouta qu'il annonce à sa mère qu'elle était une joueuse invétérée.

— Quel problème ? interrogea Marjory.

— Un terrible problème..., exagéra Franck.

Tabatha n'osait plus bouger.

— Ma future femme n'a plus rien à boire, dit alors Franck en désignant son verre vide.

Au bord de l'apoplexie, Tabatha respira enfin.

— Oh, ce n'est que cela ! s'exclama Marjory en riant.

Le gong annonçant le dîner résonna à cet instant, et tout le monde passa à table.

Les plats étaient délicieux, les vins excellents, mais pour Tabatha, ce repas qui s'éternisait représenta une terrible épreuve. La conversation revenant sans cesse sur le mariage, elle devait feindre l'enthousiasme et donner l'image d'une future mariée radieuse.

— On a déjà livré beaucoup de cadeaux, les informa Marjory. Pour le moment, ils sont dans la petite salle à manger, mais il faudra les exposer.

— Combien de grille-pain ? demanda Tabatha.

Ses efforts pour plaisanter tombèrent à plat quand Franck la dévisagea froidement.

— De mon côté, sûrement aucun, garantit-il. Combien de grille-pain du côté de Tabatha, mère ?

Marjory sourit.

— Ne faites pas attention à ce qu'il dit, la rassura-t-elle. Franck est fatigué et énervé. Et vous, Tabatha, comment vous sentez-vous à l'approche du grand jour ?

— Un peu angoissée, mais si j'ai bien compris, ce sera une cérémonie assez simple...

— L'ennui, se moqua de nouveau Franck ; c'est que ton idée d'une cérémonie assez simple n'a rien à voir avec celle de ma mère.

Il se tourna vers elle.

— Qu'avez-vous prévu en guise de mariage discret ?

— Ce sera la surprise, répondit Marjory. Mais je peux t'assurer que tout sera de très bon goût.

Franck se remit à rire, plus gentiment, cette fois.

— Y aura-t-il un lâcher de ballons multicolores ?

— On en a trop vu, ça devient un peu démodé. J'ai surtout commandé des fleurs, beaucoup de fleurs, blanches et pastel.

La fin du dîner arriva, et Tabatha put enfin aller se réfugier sur la terrasse. Elle s'accouda à la balustrade pour contempler les lumières de la ville qui scintillaient le long de la baie.

Elle songea à tous ces couples assis aux terrasses des cafés ou des restaurants. Ces couples qui, tendrement enlacés, devaient danser ou flâner le long de la plage. Des couples heureux et sans histoires, qu'elle envia profondément.

— Tu as l'air bien loin, observa Franck en s'accoudant à côté d'elle.

Elle ne répondit pas.

— Je suis désolé pour tout à l'heure...

Elle lui adressa un regard perplexe.

— Quand je t'ai fait croire que j'allais révéler ton problème à mes parents. Je n'en aurais rien fait, tu t'en doutes, n'empêche que c'était moche de ma part...

Il prit une profonde inspiration.

— Tout ça n'est qu'une comédie, on le sait l'un comme l'autre. Et pour jouer notre rôle de manière convaincante, nous avons intérêt à nous épauler au lieu de nous envoyer des piques.

— Je ne te le fais pas dire.

Il y eut un silence.

Elle contempla discrètement son profil qui se détachait sur le ciel constellé d'étoiles, puis ses mains élégantes et solides, posées sur la balustrade. Son cœur se noua à la pensée qu'elles avaient exploré son corps, connaissant désormais chaque centimètre carré.

— Nous vivons dans le mensonge, s'entendit-elle déclarer à mi-voix. Ça ne t'ennuie pas ?

— Non.

— S'ils découvraient la vérité...

— Ils ne sauront rien, à condition que tu te montres un peu plus discrète.

— Je ne le suis pas, peut-être ? protesta-t-elle.

— Pas assez. Tout à l'heure, tu faisais des confidences à Aiden. Heureusement que c'est moi qui t'ai entendue et pas ma mère.

— Mais s'ils découvraient que nous ne sommes pas amoureux l'un de l'autre ? insista la jeune femme.

— Ce ne sera pas un drame, ni le premier mariage arrangé dans la famille. Mon père souhaite que je me marie, mais il n'a jamais précisé que ça devait être un mariage d'amour.

— Et si je disparaissais avec ton argent ?

— Je te retrouverais, plus vite que tu ne le crois. Quant à l'argent que je t'ai donné, je parie que tu l'as déjà dépensé.

« Oui, mais pas comme tu l'imagines », songea-t-elle.

Plutôt que de lui donner des explications que, de toute manière, il refuserait de croire, elle demanda de nouveau :

— Ça ne t'ennuie pas de jouer la comédie ? Tu ne te sens pas dévoré de culpabilité ?

Il l'examina d'un air songeur.

— Tu te souviens de tous ces gens rongés d'angoisse que nous avons vus au casino ?

104

— Oui.

— Je ne suis pas comme eux, et pourtant, je joue toute la journée. Le monde des affaires ressemble par moments à un gigantesque casino. La plupart des gens que je connais surveillent les cours de la Bourse internationale avec autant d'anxiété que les joueurs qui suivent la boule sur le plateau d'une roulette. Résultat, ils se retrouvent à cinquante ans avec un ulcère de l'estomac ou un cœur en très mauvais état. Moi, j'espère être toujours en pleine forme à soixante-dix ans.

— Parce que tu te fixes un budget ? Que tu sais t'arrêter à temps ? Que tu as les nerfs solides ?

Elle haussa les épaules.

— De toute manière, tu peux te permettre de perdre. Où veux-tu en venir exactement avec ce petit discours ? Tu me prends pour une idiote ? Tu es persuadé que je lis seulement mon horoscope dans les journaux ? Eh bien, pas du tout ! Je m'intéresse aussi aux pages économiques, et je sais que le monde des affaires est implacable.

Il éclata de rire.

— Et moi, je ne manque plus jamais de jeter un coup d'œil à l'horoscope. A propos, tu avais raison : ma mère a tout de suite voulu connaître ton signe astrologique.

Sa voix redevint sèche.

— Ne t'amuse pas avec moi, Tabatha. Si tu es là le jour du mariage, très bien. Si tu as disparu, tant pis. Je n'en mourrai pas.

Il se rapprocha, la frôla. Elle sentit sa chaleur à travers la soie légère de sa robe. Le cœur battant, chacune des fibres de son corps en éveil, elle résista à l'envie de se lover contre lui.

— On doit se marier dans deux jours, dit-elle d'une voix mal assurée. On devrait attendre, non ?

— C'est ce que tu veux ?

Oh, non ! Tout ce qu'elle voulait était être dans ses bras. Et comme s'il avait deviné, il la pressa contre lui avec tant de violence qu'elle sentit la virilité de son désir.

— On... on pourrait nous voir, balbutia-t-elle.

— Il fait nuit. Et si par hasard ils nous voyaient, ils trouveraient ça très bien. Autant qu'ils en aient pour leur argent, ajouta-t-il avec cynisme.

Il posa sur ses lèvres un baiser passionné.

— Quels bons comédiens nous sommes ! dit-il en se redressant, les yeux étincelants, moqueurs.

Tabatha baissa la tête.

Oui, tout cela n'était, hélas, que comédie.

9.

Trop consciente de la présence de Franck dans la chambre voisine, Tabatha passa une nuit blanche. Elle le désirait follement et rêvait de le voir apparaître... tout en redoutant le moment où il pousserait la porte de communication. Et le bruit des vagues qui venaient mourir inlassablement sur le sable ne parvint pas à l'apaiser.

A l'aube, elle sauta hors de son lit, enfila un short, un T-shirt, des baskets, et sortit. Elle marcha un long moment sur la plage avant de s'asseoir sur le sable humide pour fixer l'horizon.

Franck l'aperçut au loin. Avec ses cheveux flamboyants dans le soleil, elle lui fit penser à une sirène échouée sur le rivage. Cette image idyllique lui décrocha pourtant un sourire amer.

« Une belle intrigante, oui », songea-t-il.

Il se mit à courir sans hâte et la rejoignit. Lorsqu'elle tourna la tête, levant vers lui ses magnifiques yeux verts, il se sentit soudain essoufflé, comme s'il venait de courir pendant des heures.

— Tu n'arrivais pas à dormir ? demanda-t-il.

— Non.

Le cœur battant, elle ne parvint pas à détacher son regard de cet homme désirable. Uniquement vêtu d'un vieux short en jean, le torse nu et bronzé, les cheveux en désordre et le menton couvert d'une barbe naissante, il paraissait plus beau que jamais.

Il s'assit près d'elle et, côte à côte, ils contemplèrent la mer en silence. Un silence étrangement plus complice que pesant.

Peu à peu, tout s'anima autour d'eux. Les pêcheurs à la ligne s'installèrent sur la jetée, puis les surfeurs vinrent chevaucher les vagues.

— Je me demande si on peut se lasser un jour d'une vue pareille, murmura-t-elle. Ça me semble difficile, mais peut-être que l'on s'habitue à tout… Un beau jour, ce paysage fabuleux vous laisse complètement indifférent.

— Possible.

Le soleil poursuivit lentement son ascension. Les couleurs pourpres qui teintaient l'horizon s'effilochèrent, laissant la place à un ciel bleu cobalt. Il y avait à présent de plus en plus de monde sur la plage : des joggeurs, des enfants et des promeneurs avec leur chien.

Un couple d'un certain âge s'approcha d'eux.

— Bonjour. Quelle belle matinée, n'est-ce pas ?

Franck se leva et les salua avec chaleur avant de leur présenter Tabatha.

— Ma fiancée.

Le vieil homme sourit.

— Félicitations ! Votre fiancée est bien jolie.

— Ravissante ! renchérit sa femme. Nous avons appris la grande nouvelle par la presse. Et votre mère a eu la gentillesse de nous inviter au mariage.

108

Un labrador arriva en bondissant. Il déposa à leurs pieds un bâton que son maître lança au loin.

— On vous laisse en tête à tête, les amoureux, dit gentiment la femme. Bonne journée... et à demain.

Tabatha les suivit des yeux tandis qu'ils poursuivaient leur marche le long de la plage, main dans la main.

Franck reprit place près d'elle.

— Ils sont la réponse à ta question. Depuis des années, ils ne manqueraient pour rien au monde leur promenade matinale. Ils ne semblent pas être blasés. Qu'il fasse beau, qu'il pleuve, qu'il vente, ils disent toujours que c'est une belle matinée. Ils sont heureux...

— Et ils s'aiment, ajouta-t-elle en faisant couler une poignée de sable entre ses doigts.

Que n'aurait-elle pas donné pour mener, elle aussi, une vie entière auprès de Franck... Pour voir leurs enfants courir devant eux sur la plage, pour continuer à marcher près de lui, main dans la main, même quand ils seraient vieux.

Sa voix la ramena à l'instant présent.

— Tu as l'air bien pensive, observa-t-il.

Elle soupira. Comment lui avouer qu'elle l'aimait et qu'elle l'aimerait toute sa vie ?

— A quoi penses-tu ? insista-t-il.

— Il faut que je te dise quelque chose.

— Oh, oh, ça m'a l'air très sérieux.

Elle hésita. Comment pouvait-elle songer, même l'espace d'un instant, à lui faire part de ses sentiments ? C'était impossible, il ne voulait pas d'une véritable épouse, mais d'une marionnette dont il pourrait se débarrasser dès qu'il le souhaiterait. Tout avait été prévu, tout avait été écrit noir sur blanc.

Elle esquiva sa réponse par une autre.

— Je ne suis pas une joueuse.

Il haussa les épaules.

— Je ne veux plus parler de ça, répondit-il avec lassitude.

— Mais je t'assure que...

— Comme tous ceux qui ont ce problème, tu t'acharnes à le nier. Je sais parfaitement de quoi je parle, j'ai lu plusieurs articles à ce sujet, figure-toi.

— Moi aussi, et l'on appelle ce genre de personne des ludopathes. Tu vois ? Je suis bien renseignée. Seulement, ce n'est pas moi qui vais au casino, c'est ma grand-mère.

— Bien sûr ! répondit-il avec ironie.

— Pourquoi ne veux-tu pas m'écouter ?

Elle sentit la colère monter en elle.

— Si tu refuses de me croire, je ne t'épouserai pas demain, menaça-t-elle.

Sa bravade ne parut guère perturber Franck. Il s'allongea sur le sable et croisa les bras derrière sa tête.

— Alors, ce serait ta grand-mère ? Aiden est au courant ?

— Oui.

— Dans ce cas, pourquoi ne m'a-t-il rien dit ?

— Parce que je le lui ai demandé.

Elle haussa les épaules.

— Ce détail ne me semblait pas spécialement important.

— Un détail !

Habituellement maître de lui, il avait à présent du mal à dominer sa colère.

— Tu n'arrêtes pas de mentir. Je t'ai vue au casino. Tu n'étais plus la même. Tu vivais, tu vibrais...

« J'étais amoureuse ! », eut-elle envie de hurler.

110

— Ça n'avait rien à voir avec l'ambiance du casino, répondit-elle simplement. On avait passé une bonne soirée, j'avais bu beaucoup de champagne, tu m'avais donné un chèque représentant plusieurs années de travail…. J'avais mille raisons pour planer.

Deux larmes perlèrent dans ses yeux.

— Je ne suis pas une joueuse, poursuivit-elle d'une voix mal assurée. Et je pensais que ça te ferait plaisir de l'apprendre.

— Et tu attendais quoi ? Des applaudissements ? Des félicitations ?

Puis il poursuivit d'un ton sarcastique.

— « Ma chère Tabatha, tu as sauvé ta grand-mère des griffes des usuriers. Comme c'est merveilleux ! Tu es la plus généreuse, la plus magnanime, la plus admirable des petites-filles. » C'est ça que tu voulais entendre ?

— Non. Je pensais simplement que ça nous aiderait si tu connaissais la vérité.

— Nous avons signé un contrat établissant les règles de ce mariage. Le reste est sans importance. Alors, pas de discours, je t'en prie. Quant à savoir qui est responsable de ces dettes de jeu, tu as raison, ce n'est qu'un détail sans importance.

Il se souleva sur un coude.

— Tu as touché mon chèque immédiatement, et ce que tu as fait de l'argent te regarde. Demain, nous nous marierons comme prévu, puisque tu t'y es engagée en signant le contrat. A moins, bien évidemment, que tu puisses me rendre l'argent que je t'ai déjà donné, auquel cas la situation serait à reconsidérer. Tu peux me le rendre ?

— Non.

— Donc, inutile de discuter davantage.

Elle baissa la tête en retenant ses larmes.

— Il n'y a rien de changé ?

— Rien.

D'un doigt absent, elle dessina des cercles sur le sable. Ses ongles étaient peints d'un vernis de couleur corail, comme le jour du mariage. Il l'examina, de sa chevelure flamboyante jusqu'à ses longues jambes… Des jambes qui s'étaient nouées passionnément autour de lui.

Brusquement envahi par le désir, il lui caressa le genou et constata qu'il était aussi poli et aussi tiède qu'un galet au soleil.

— Laisse-moi ! protesta-t-elle.

Sans tenir compte de ses récriminations, il l'enlaça.

— Laisse-moi ! répéta-t-elle en se dégageant. Tu viens tout juste de me dire que je ne comptais pas pour toi, que nous avions juste conclu un marché, et maintenant, tu essaies de…

— On peut parfaitement mêler les affaires au plaisir.

Elle se leva d'un bond, mais il la retint par la cheville avant de lui caresser la jambe avec une infinie lenteur. Quand il arriva à la hauteur de son short, elle retint sa respiration.

Non, elle n'allait pas se laisser troubler par un homme qui la traitait aussi mal. Elle venait de lui faire part du tourment qui la torturait, et au lieu de l'écouter, il l'avait ignorée avec mépris.

— Arrête ! dit-elle avec colère. Tu crois que je trouve ça agréable ?

Pour une fois, il parut moins sûr de lui et la libéra.

— Si tu veux savoir, pour moi aussi, cette comédie n'est rien d'autre qu'un marché, poursuivit-elle. Le seul plaisir que j'en tire est d'encaisser tes chèques.

— Ce qui ne t'empêche pas de me désirer autant que je te désire.

Si son ton semblait aussi sûr que d'ordinaire, son regard ne l'était pas. Elle comprit qu'elle avait réussi à l'atteindre. Pour la première fois de sa vie peut-être, cet homme si sûr de lui semblait saisi d'un doute.

— Un jour, tu m'as dit que j'étais une bonne actrice, ajouta-t-elle. Eh bien, c'était la seule fois où tu as dit quelque chose de juste à mon sujet.

Sur ces mots, elle tourna les talons et partit en courant. Elle ne voulait pas qu'il voie les larmes qui coulaient à présent librement sur ses joues. En restant plus longtemps, il aurait pu lire dans ses yeux cette vérité qu'elle voulait à tout prix lui cacher : elle l'aimait.

Elle l'aimait de tout son cœur, de toute son âme et de tout son corps, mais il ne devait à aucun prix s'en douter.

10.

Le déjeuner fut une véritable épreuve pour Tabatha.

Jeremy n'était pas descendu, préféra nt garder ses forces pour le dîner. Il n'y avait donc que trois Chambers autour de la table dressée sur la terrasse, et elle s'était efforcée de faire bonne figure, malgré tout.

Elle sentait que quelque chose avait été détruit ce matin-là sur la plage, mais elle avait eu l'amère satisfaction de découvrir que Franck n'était pas totalement insensible. Il n'était donc pas aussi sûr de lui que les apparences le laissaient supposer.

— Demain, vous serez mariés ! annonça Marjory, dans un élan de satisfaction. Vous devez être folle de joie, Tabatha.

— Ça reste à voir, répondit Franck avec cynisme. Les apparences sont parfois trompeuses, n'est-ce pas, chérie ?

Un silence pesant plana autour de la table.

— Si je ne veux pas prendre du poids, j'ai intérêt à faire quelques longueurs dans la piscine, suggéra Marjory pour détendre l'atmosphère.

Elle se leva.

— Vous venez avec moi, Tabatha ?

114

— Je vous accompagne, mais je ne me baignerai pas, dit-elle. Après un déjeuner pareil, j'aurais bien trop peur de couler à pic.

Les exercices de Marjory Chambers ne durèrent guère. Après avoir nagé paresseusement durant cinq minutes, elle vint s'allonger sur la chaise longue voisine de celle de Tabatha. Cette dernière n'avait eu qu'à ôter sa robe pour être en maillot. Un maillot minuscule composé de trois triangles couleur citron.

Franck les rejoignit et s'empressa de se débarrasser de son short et de son T-shirt.

— Tu viens te baigner ? demanda-t-il à Tabatha.

Elle se contenta de secouer négativement la tête. La gorge nouée, elle se remémorait le soir où il s'était déshabillé devant elle pour la première fois...

Il plongea et se mit à fendre l'eau dans un crawl parfait.

Tabatha n'était pas mécontente d'avoir refusé de le suivre. C'était une piètre nageuse, et à côté de ce sportif accompli, elle se serait sentie empruntée.

Marjory l'observa tout en s'enduisant le visage de crème solaire.

— Franck n'est pas facile à vivre en ce moment, observa-t-elle. Il ne faut pas lui en vouloir, il se fait beaucoup de souci pour son père.

Puis elle lui adressa un large sourire.

— Nous sommes si heureux qu'il vous ait rencontrée, reprit-elle. Mais il ne faut pas vous faire d'illusions, il n'a jamais eu un caractère commode. Nous commencions d'ailleurs à nous inquiéter à son sujet.

— Pourquoi ?

— Parce que pour lui, tout est noir ou blanc. Vous avez entendu parler de Louise ?

— Oui.

— Une fille ravissante, pleine de vie... Elle avait même réussi à le rendre un peu moins guindé. Ils semblaient vraiment heureux. Seulement cette idiote s'est montrée trop gourmande, et tout a volé en éclats. Lorsqu'elle lui a présenté ce contrat prénuptial, ça a été la rupture immédiate.

Elle frémit.

— Mon fils s'est mis dans une colère folle. Je l'entends encore hurler. Cette femme lui a fait beaucoup de mal, même s'il refuse de l'admettre.

— Lorsqu'on est très riche, on doit toujours se demander si les gens s'intéressent à vous ou à votre compte en banque, répondit Tabatha. Au fond, l'argent gâche tout.

Sa réflexion parut surprendre son interlocutrice.

— Dans la vie, l'argent est important, Tabatha, rétorqua-t-elle. Très important ! Je n'aurais pas adressé un seul regard à Jeremy s'il avait été sans le sou.

Bien que prévenue, la franchise de Marjory la médusa.

— Vous avez pourtant l'air de bien vous entendre avec votre mari, dit-elle.

— Bien sûr. Mais s'il avait été pauvre, je l'aurais ignoré, insista son interlocutrice. Et je suis certaine que la fortune de Franck a influencé votre décision.

Elle n'avait pas tort. C'était bien parce que Tabatha avait besoin d'argent qu'elle avait accepté cet invraisemblable contrat.

Durant quelques instants, elle se prit à rêver à l'impossible. Si seulement Franck l'aimait, sa fortune lui serait bien égale.

— Vous ne m'avez pas répondu, persista Marjory.

116

— Pardon ?

— Nous parlions de ce qui a influencé votre décision...

— L'agent ne devrait pas entrer en ligne de compte. Le mariage ne peut être qu'un témoignage d'amour, le début d'une vie à deux, avec ses bons et ses mauvais moments...

— Bravo ! applaudit Franck. Voilà une belle profession de foi. Vous avez entendu, mère ? Un petit discours de ce genre ne peut que vous redonner confiance en la gent féminine.

— Tabatha est adorable, assura Marjory, sans remarquer le mépris qui animait les propos de son fils.

— Tu ferais bien de mettre un peu de crème sur le dos de ta fiancée, reprit-elle en fermant paresseusement les yeux. Avec une peau aussi claire que la sienne, elle ne devrait pas rester trop longtemps au soleil sans protection.

— Je peux le faire moi-même, répliqua Tabatha.

Elle tendit la main vers le flacon, mais Franck avait été plus rapide qu'elle.

— Tu es déjà aussi rouge qu'une écrevisse, observa-t-il. Allonge-toi.

— Non... Je...

— Allonge-toi, répéta-t-il.

La présence de Marjory à leur côté la força à obéir.

Franck prit une noix de crème et l'étala sur son dos, la massant tout en douceur. Elle eut soudain de la peine à respirer, tant le désir la submergeait. Puis il enduisit ses jambes, lui caressant d'abord les mollets, puis le creux des genoux... Et enfin, lentement, très lentement, il remonta le long de ses cuisses fuselées. En proie à un désir sans nom, elle serra les dents en s'efforçant de paraître détachée.

— Voilà ! dit-il brusquement en se redressant.

— Merci, réussit-elle à murmurer.

Entre ses yeux mi-clos, elle le vit s'allonger sur la chaise longue voisine. Quoi ? c'était tout ? Elle aurait pourtant juré que non seulement il avait été conscient de son émotion, mais qu'il avait été troublé, lui aussi.

Elle ferma les yeux, mais le sommeil ne vint pas.

Comment aurait-elle pu s'endormir alors qu'il était si près d'elle ?

— Il fait trop chaud, décréta-t-elle au bout de dix minutes. Je rentre.

— Déjà ? fit-il mine de s'étonner. Juste au moment où ça commence à devenir intéressant ?

Remarquant son regard rivé sur la pointe de ses seins fièrement dressée sous le lycra de son maillot couleur citron, elle s'empressa de s'enrouler dans sa serviette.

Une fois dans sa chambre, elle alla s'asperger le visage d'eau fraîche pour s'efforcer d'oublier la sensation de ses mains sur son corps.

Pourquoi avait-il un tel effet sur elle ?

Parce qu'elle l'aimait, tout simplement. Elle était tombée amoureuse de lui à l'église, à l'instant même où leurs regards s'étaient rencontrés. Le coup de foudre, comme il l'expliquait avec cynisme pour justifier leur décision subite.

Malheureusement, elle avait été la seule à être touchée par cette étincelle. Alors, à quoi bon se faire des illusions, il n'éprouvait qu'un mépris infini à son égard.

Elle retira son maillot en soupirant et s'apprêtait à se mettre sous le jet tiède de la douche quand le grand miroir de la salle de bains lui renvoya son image.

— Dans toute cette histoire, tu es bien la seule à blâmer, se reprocha-t-elle avec sévérité.

— C'est exactement mon avis.

Elle sursauta en découvrant Franck nonchalamment appuyé au chambranle de la porte.

— Il... il y a longtemps que tu es là ? bredouilla-t-elle.

— Ne t'inquiète pas, je ne suis pas du genre à regarder par le trou de la serrure, se moqua-t-il. D'ailleurs, ce serait bien inutile puisque je peux t'avoir quand je veux.

— Comment oses-tu...

Il lui caressa la joue du bout des doigts. Puis, sans hâte, sa main glissa sur son cou, ses seins...

— Tu as un petit coup de soleil, juste là, s'amusa-t-il. Tu aurais dû me demander de te mettre de la crème partout.

— Arrête !

Il lui effleura un mamelon durci.

— Tout cela n'est que comédie ? Vraiment ? Ton corps te trahit, ma chérie.

Elle aurait voulu le repousser, mais elle demeura pétrifiée par son regard, ses caresses...

— Oui, quand je veux, murmura-t-il, cette fois avec arrogance. Ose dire que ce n'est pas vrai.

— Non.

— Menteuse ! assura-t-il en la poussant sur le grand lit.

Ses mains semblèrent être partout à la fois. Elle ferma alors les yeux en s'arquant contre lui, déjà abandonnée.

— Dis-moi d'arrêter, maintenant, ordonna-t-il.

Elle lui tendit les bras pour s'offrir tout entière.

— Non, n'arrête pas, supplia-t-elle.

— Pourquoi ? Dis-le. Dis que tu me veux.

— Je te veux !

N'était-ce pas le moment de lui avouer qu'elle l'aimait ?

Mais l'instant n'était déjà plus aux mots. Seul le langage des corps comptait. Et avec un rire triomphant, il la prit dans une seule poussée.

Le téléphone portable de Tabatha sonna, sans qu'elle soit en état de l'entendre. Mais le correspondant insista, si bien qu'elle sortit péniblement de son ivresse.

La conversation fut brève. Tabatha parlait à mi-voix, et par discrétion, Franck s'éloigna. Quand elle reposa le combiné, il la rejoignit et constata qu'elle avait les larmes aux yeux.

— Un problème ? demanda-t-il.

— Ma grand-mère a vendu sa maison.

— Pour payer ses dettes ?

Elle haussa les épaules tout en s'enveloppant dans le drap.

— J'avais tout remboursé. Ou plutôt, tu avais remboursé...

Elle forma nerveusement des plis avec le bord du drap tout en se mordant la lèvre inférieure.

— Elle a l'intention de se retirer dans un complexe pour personnes âgées, avec un homme dont je n'ai jamais entendu parler, mais dont elle serait amoureuse. Elle a promis de me rembourser, c'est pour ça qu'elle appelait. Elle voulait me mettre au courant avant le mariage.

— Pour que tu puisses mettre un terme à cette comédie ?

Les larmes coulèrent librement sur ses joues.

— Non, elle n'est pas au courant de notre accord. Elle a simplement voulu nous rendre la vie plus facile, expliqua-t-elle entre deux sanglots. Un jeune couple qui débute, tu comprends...

— Le soi-disant jeune couple n'est plus si jeune que ça.

— C'est ce que je lui ai dit, hoqueta-t-elle en essuyant ses larmes avec le bout du drap. Je lui ai dit aussi qu'elle n'avait pas besoin de précipiter les choses.

Elle prit une profonde inspiration.

— Mais elle est parfois très têtue.

Peu à peu, elle redevint elle-même.

— Quand elle a pris une décision, il est bien difficile de la faire changer d'avis. La maison est vendue, elle va aller vivre avec un certain Bruce...

— Si tu crois que ça m'intéresse de connaître le nom de l'ami de ta grand-mère !

— Quant à moi, je vais pouvoir te rembourser et...

— Pas question. Tu as signé un contrat. Le mariage aura lieu demain, comme prévu.

— Tu ne peux pas me forcer...

Elle tourna le rubis autour de son doigt.

— Mais je ne partirai pas, poursuivit-elle. Je n'en ai jamais eu l'intention. Je veux toujours t'épouser.

Elle baissa la tête.

Allait-elle enfin oser lui avouer qu'elle l'aimait, au risque qu'il la méprise davantage avec ce sourire suffisant...

— Pourquoi ? demanda-t-il.

— Parce que c'est... c'est évident, non ?

Comme elle s'y attendait, elle ne vit que du dédain dans ses yeux.

— A cause de l'argent, je suppose ! dit-il avec écœurement. Tu es d'une cupidité invraisemblable ! C'est bien simple, tu me dégoûtes !

Elle aurait pu lui dire, lui expliquer enfin à quel point elle l'aimait, mais il avait visiblement autant de problèmes à régler que son frère. Et si Aiden avait tenté de leur trouver une solution au fond d'un verre l'alcool, Franck ne semblait pas encore leur avoir déniché une parade.

— Tu veux savoir pourquoi je te méprise tant ? demanda-t-il.

Elle fut tentée de refuser la réponse, mais elle s'entendit lui demander « Pourquoi ? »

— Parce que derrière ton masque de jeune femme candide se cache une fille vénale. Demain, à cette heure-ci, tu seras Mme Franck Chambers. Félicitations !

Sur ces mots, il regagna sa propre chambre, et la porte de communication claqua avec violence.

Tabatha prit son visage entre ses mains. Si elle s'était écoutée, elle aurait couru le rejoindre, elle aurait essayé de lui expliquer... Mais à quoi bon ? Il refuserait de l'écouter.

Elle éprouva soudain à son égard une immense pitié et songea qu'on avait dû lui faire beaucoup de mal pour avoir si peu confiance en une femme.

Ils allaient vivre ensemble pendant six mois... Elle aurait tout ce temps pour lui démontrer combien elle l'aimait et, peut-être, pour lui apprendre à aimer...

11.

— Tu es ravissante ! s'exclama Aiden en entrant dans la chambre de Tabatha.

Elle se retourna pour lui sourire.

— Elle serait encore mieux si elle restait tranquille, maugréa Carla, la coiffeuse, en plantant une nouvelle épingle dans la chevelure de la mariée. Le diadème est bien fixé, maintenant, ajouta-t-elle. Il ne risque plus de glisser.

Elle attrapa la bombe de laque.

— Attention, fermez les yeux !

Elle vaporisa littéralement Tabatha d'un dense nuage. Puis elle recula de quelques pas pour contempler son travail.

— Il a raison, vous êtes ravissante, sourit-elle enfin.

Puis elle se retira discrètement.

Tabatha considéra son reflet dans le miroir. C'était bien elle, mais en même temps une autre. Ses boucles flamboyantes avaient été relevées en chignon pour mettre en valeur un diadème digne d'une princesse. Et juste avant l'arrivée de Carla, elle avait dû passer entre les mains expertes d'une maquilleuse.

123

Elle se reconnut à peine sous les traits de cette femme sophistiquée, vêtue d'une élégante robe de soie ivoire.

— J'ai pris ça en bas, dit Aiden en posant une bouteille de champagne sur une table basse.

Il la déboucha, et après avoir rempli deux flûtes, il leva la sienne.

— A ma chère Tabatha qui va devenir ma belle-sœur !

Jugeant qu'il était préférable de garder la tête claire, elle se contenta de tremper ses lèvres dans le vin pétillant.

— C'est toujours un arrangement d'affaires ? demanda-t-il en la dévisageant. Pas une once de sentiment dans tout ça ?

— Pas une once ! répondit-elle après une brève hésitation.

Elle avait l'habitude de se confier à lui, mais elle estimait que c'était à Franck qu'elle devait d'abord la vérité.

— Au début, j'étais contre ce mariage, expliqua Aiden. Maintenant, je me dis que ce n'est peut-être pas une mauvaise chose. Mon père est tellement ravi qu'il en est presque agréable avec moi. Ce matin, je l'ai emmené en promenade jusqu'à la jetée. Il y avait longtemps qu'on n'avait pas bavardé tranquillement, lui et moi. Bien sûr, il m'a lancé quelques flèches, comme d'habitude, du genre qu'il serait grand temps que je prenne la vie au sérieux. Mais le principal...

Il marqua une pause pour bien ménager son effet.

— Le principal, reprit-il, c'est qu'il a promis de se rendre un jour à la galerie pour voir mes tableaux.

124

Apparemment, Franck y a fait un tour et lui a conseillé d'en faire autant.

— Franck ? s'étonna-t-elle.

— Surprenant, non ? Depuis le temps qu'il critique ce que je fais, jamais je n'aurais imaginé qu'il deviendrait mon défenseur. Parce que pour persuader père de se déplacer...

— C'est formidable !

— Quel changement, surtout. Tu ne peux pas imaginer ce que ça représente pour moi. Dans la famille, j'ai toujours été considéré comme un bon à rien.

— Ton père trouve peut-être que tu bois trop, suggéra-t-elle timidement.

— Tu ne vas pas t'y mettre aussi ? grimaça-t-il. Tu parles déjà comme une vieille femme mariée.

— Je me fais du souci pour toi, c'est tout, se défendit-elle.

— La joueuse qui fait la leçon à l'alcoolique ! Je rêve !

Ce n'était pas le jour ni l'endroit de parler de cela, mais comme ils avaient commencé, elle jugea qu'il valait mieux aller au bout.

— Oui, tu bois trop, Aiden. Et tous les jours c'est la même chose. Je crains que ta santé ne résiste pas longtemps à un tel régime. Tu es mon meilleur ami, tu ne trouves pas normal que je me fasse du souci pour toi ?

— Pas pour le moment, s'il te plaît. Aujourd'hui, c'est seulement à toi que tu dois penser.

Il la dévisagea avec admiration.

— Si je n'étais pas gay, tu serais sûrement la femme de mes rêves.

— Heureusement que tu es là, dit-elle en l'embrassant sur la joue. C'est si gentil d'avoir accepté de remplacer mon père.

Un soupir gonfla sa poitrine alors qu'elle contemplait le rubis sombre qui étincelait à son doigt. Ses parents auraient tant aimé être là le jour du mariage de leur fille unique. Hélas, il avait fallu qu'un stupide accident de la route brise une famille unie et heureuse.

— Je crois qu'il faut descendre, soupira-t-elle de nouveau.

— Attends...

Aiden lui fixa adroitement un bracelet de diamants autour du bras.

— Il est magnifique, s'émut-elle. Oh, Aiden ! Pourquoi ce cadeau ? Tu avais juré que tu ne m'en ferais pas.

— Ce n'est pas un cadeau de mariage, c'est... Comment peut-on appeler ça ? Un cadeau d'amitié ! Oui, c'est ça, un cadeau d'amitié. Dans cinquante ans, quand tu seras une octogénaire radoteuse, une vieille divorcée, nous serons toujours amis... Et j'espère que tu porteras ce bracelet.

Elle se haussa sur la pointe des pieds pour l'embrasser.

— Tu es un amour, dit-elle avec émotion.

— Hé ! ne pleure pas ! Ou gare à ton maquillage...

Elle se mit à rire, mais d'un rire qui était proche des larmes, car la mention du divorce ne l'avait pas mise en joie.

— Allons-y, et dépêchons-nous d'en finir avec cette cérémonie pour que je puisse m'asseoir devant un whisky bien tassé, décréta-t-il en lui offrant son bras.

En la voyant se pincer les lèvres, il la secoua tendrement.

— Un jour, je me prendrai sérieusement en main, promit-il. Ou, plutôt, j'irai consulter un spécialiste, parce que je sais parfaitement que je n'arriverai jamais à m'en sortir tout seul.

Puis, sans enthousiasme, il poursuivit :

— Mais je dois d'abord m'habituer à l'idée d'abandonner la bouteille. Une vie d'abstinence ne me tente guère.

— Tu peux boire un peu, sans excès...

— Mais je suis excessif ! s'exclama-t-il avec autodérision.

La cérémonie avait lieu à l'extérieur, sur la pelouse où tous les invités étaient déjà réunis. Un buffet somptueux serait ensuite servi sous une tente dressée plus loin.

Quand Tabatha et Aiden passèrent sous une arche faite de roses blanches, un petit orchestre, commandé par Marjory, se mit à jouer.

— Pas de regrets ? murmura Aiden.

— Aucun, répondit-elle.

Ce mariage « tout simple » ne comptait pas moins d'une centaine d'invités. Et parmi cette marée de visages inconnus, Tabatha aperçut celui de sa grand-mère, au bras d'un homme aux cheveux blancs et à l'allure sportive.

Ils remontèrent lentement vers le dais sous lequel les attendaient le maire, les témoins, et le marié lui-même.

Le cœur battant, elle fixa avec adoration celui qu'elle allait épouser, l'homme de sa vie, celui qu'elle aimerait jusqu'à son dernier souffle.

Et soudain, ce fut le chaos. Tout alla très vite. Si vite que, lorsqu'elle tenta de se remémorer ces instants par la suite, elle ne parvint pas à les remettre dans l'ordre.

Il y eut tout d'abord le cri perçant de Marjory, à moins que ce ne fût celui des invités. Certains demeuraient figés sur place, tandis que d'autres couraient en tous sens en poussant des exclamations affolées. Tabatha fut la première à courir vers Jeremy qui venait de s'écrouler.

Elle s'agenouilla près de lui.

— Jeremy… ? murmura-t-elle avec angoisse.

Le visage du père de Franck était gris et ses lèvres bleues.

Elle lui prit le pouls, puis posa son oreille sur sa poitrine.

— Il ne respire plus, dit-elle d'une voix presque inaudible.

Elle regarda autour d'elle avec anxiété, espérant une réaction quelconque de la part des invités. Mais le premier instant de panique passé, plus personne n'osait bouger. Franck fut le seul à la rejoindre.

— Y a-t-il un médecin dans l'assistance ? s'écria-t-il. Il faut appeler l'hôpital, une ambulance… Vite !

— Le bouche-à-bouche…, balbutia Tabatha.

Franck se pencha sur le visage de son père, tandis qu'elle mettait en pratique ses cours de secourisme.

Un très vieil homme s'approcha.

— Je peux vous aider ? chevrota-t-il.

— C'est le Dr Gilbert, dit Marjory, en larmes.

Franck parut tellement horrifié en voyant ce fossile, que Tabatha ne put retenir un sourire tout en continuant à pratiquer énergiquement la respiration artificielle. Ses yeux rencontrèrent les siens. Ils n'échangèrent aucun mot, mais à cet instant, elle sut qu'ils n'en avaient pas besoin pour se comprendre.

— Le Dr Gilbert n'a qu'à téléphoner à Melbourne, au cardiologue, pour lui demander quoi faire, ordonna Franck avant de continuer le bouche-à-bouche.

L'exercice commençait à épuiser Tabatha.

— Aiden, aide-moi ! intima-t-elle.

Mais le cadet était incapable de quoi que ce soit, sinon de pleurer.

— Tu veux que je te remplace ? proposa Franck.

Elle secoua négativement la tête. Elle savait qu'il se donnait autant de mal qu'elle et qu'il ne fallait pas perdre une seconde.

Elle continua, sous le soleil brûlant, tandis que son mascara se mélangeait à son fond de teint.

Quand elle distingua une sirène au loin, elle éprouva un certain soulagement. Avec de la chance, une équipe de professionnels allaient prendre le relais en utilisant le matériel adéquat.

Quelques minutes plus tard, des hommes en blouse blanche branchaient un défibrillateur. Tabatha se laissa aller contre la poitrine de Franck, épuisée. Jamais de sa vie, elle ne se sentit aussi proche de lui qu'en cet instant.

A travers ses yeux brouillés de larmes, elle jeta un coup d'œil au petit écran sur lequel on ne distinguait qu'une ligne verte continue. Puis cette ligne sauta une première fois, puis une seconde... Et le cœur de Jeremy se remit à battre, irrégulièrement, certes, mais il battait.

— Merci, mon Dieu, murmura-t-elle en laissant échapper un soupir.

— Pourquoi es-tu soulagée ? lui demanda brusquement Franck. Tu as eu peur de ne pas recevoir ton second chèque ?

Tabatha lui fit face, horrifiée.

Comment osait-il parler de leur accord dans un moment pareil ? Comment avait-elle pu croire, ne serait-ce qu'un instant, qu'il y ait encore un peu d'espoir pour eux ?

Cinq minutes plus tard, un hélicoptère se posait sur la piste spécialement aménagée, et le violent courant d'air produit par les pales fit voler les pans de la tente.

— Je l'accompagne, décréta Marjory, en larmes.

— Moi aussi, renchérit Aiden.

Puis il pressa les mains de Tabatha.

— On se verra à l'hôpital, ajouta-t-il.

— Non, coupa Franck. Je la ramène chez elle, j'irai seul.

— Mais il faut qu'elle se montre...

— Pourquoi ? La comédie de la gentille future belle-fille est terminée. Maintenant, seuls nos parents comptent. Tu t'occupes d'eux et je te rejoins le plus vite possible.

Aiden resta un instant médusé.

— Courage. Tout s'arrangera, lui dit Tabatha.

Elle le regarda monter dans l'appareil sans être réellement convaincue par ses propres mots.

Tabatha avait hâte d'ôter sa robe et son diadème, de défaire son chignon, de se démaquiller... bref, d'effacer toute trace de cette mascarade. Mais pour cela, elle souhaitait être seule.

130

Franck la regardait faire ses valises, sans un mot, sans la quitter des yeux, sans perdre un seul de ses mouvements.

— Tu ne peux pas me laisser deux minutes ? s'enquit-elle agacée.

— Je reste ici, dit-il sur ton sans appel. Dépêche-toi.

— Tu as peur que je parte avec l'argenterie ?

— De ta part, on peut s'attendre à tout.

Après leurs efforts communs pour sauver Jeremy, elle avait espéré qu'ils seraient plus proches.

Comment avait-elle pu se leurrer à ce point ?

Soudain, visiblement à bout de patience, il s'approcha et ferma la valise qu'elle était en train de remplir.

— Ça suffit comme ça ! Je te ferai envoyer le reste !

— Je veux t'accompagner à l'hôpital, l'implora-t-elle. Si je n'y vais pas, ta mère...

— Tu ne lâches jamais prise, toi ! jura-t-il. C'est fini. Tu entends ? Le mariage, cette comédie, tout ça, c'est fini !

— Je voudrais au moins savoir comment va ton père...

« Et être avec toi pour t'épauler au cours de ces heures difficiles », ajouta-t-elle intérieurement.

— Je t'en prie, épargne-moi les larmes, répliqua-t-il avec mépris.

Ils effectuèrent le trajet de Lorne à Melbourne sans échanger un mot. Le visage tendu, Tabatha regarda défiler le paysage sans le voir. Elle pensa à Jeremy qui luttait contre la mort, à Marjory, à Aiden... Et elle pensa également à ce qu'allait être désormais son existence...

131

Sans Franck ? Un désert.

Le crépuscule tombait quand il tourna brusquement à droite pour s'arrêter sur le parking d'un promontoire.

Il sortit de voiture et marcha de long en large sur la terrasse qui dominait la mer. Le cœur lourd, Tabatha contempla le ciel qui s'obscurcissait peu à peu, tandis qu'au loin s'allumaient les lumières de Melbourne.

Soudain, il lui fit signe de venir le rejoindre.

Elle s'approcha avec réserve, redoutant de nouveaux des propos méprisants.

— Avance, je ne vais pas te jeter à l'eau, lui dit-il.

Elle s'efforça de rire.

— Heureusement. Avec l'argenterie que j'ai cachée sous mon T-shirt, je coulerais à pic.

Puis, s'étonnant de le voir perdre du temps, elle demanda :

— Tu n'es pas pressé d'arriver à l'hôpital ?

— Je ne veux pas y aller tout de suite, répondit-il d'une voix rauque. J'ai besoin de... d'un peu de temps pour pouvoir faire face.

Elle le comprenait. Il était l'homme fort de la famille. Sa mère et son frère avaient l'habitude de le voir tout organiser et ils devaient s'attendre qu'il prenne tout en main.

— Il s'en sortira, tenta-t-elle de le rassurer.

— Tu as vu dans quel état il était ? Je crains qu'il n'y ait aucun espoir.

Après s'être éclairci la gorge, il reprit :

— Mes réflexions stupides au sujet du second chèque, tout à l'heure... je n'en pensais pas un mot. Je regrette de t'avoir parlé comme ça. J'étais en état de choc, je ne savais plus ce que je disais. Tu as été formidable. Tu as été la première à savoir ce qu'il fallait faire. Si jamais mon père s'en tire, ce sera à toi qu'il le devra.

Elle comprit alors que c'était le moment ou jamais de lui faire l'aveu qu'elle avait toujours retenu.

— Franck, quand j'ai signé le contrat, ce n'était pas pour l'argent, c'était par amour, déclara-t-elle après une profonde inspiration. Je t'aime. Je ne t'épousais pas par intérêt.

Le corps tremblant, elle attendit sa réaction. Oh, elle ne s'attendait pas qu'il la prenne dans ses bras en lui disant qu'il l'aimait, lui aussi... Peut-être allait-il même se montrer incrédule... Discuter...

Il laissa échapper un sifflement moqueur.

— Eh bien ! Moi qui me demandais à quel moment tu jouerais ta dernière carte ! Il ne t'a pas fallu bien longtemps.

Sidérée, elle leva les yeux vers lui.

— Mais... je t'aime, répéta-t-elle d'une voix tremblante.

— Oh, je t'en prie ! Si tu savais le nombre de femmes qui m'ont affirmé la même chose...

Tout en ricanant, il poursuivit d'une voix flûtée.

— « Je t'aime, Franck. Je t'aime, et ça n'a rien à voir avec ton argent. »

Puis sa voix claqua comme un coup de fouet.

— Tu me prends pour un imbécile ? Ça n'a jamais été qu'une question de gros sous ! Et le plus triste...

Il se remit en colère.

— Le plus triste, c'est que je t'aimais, moi aussi ! Elle ouvrit de grands yeux stupéfaits.

— Tu... tu m'aimes ? répéta-t-elle.

— Non, je t'aimais, rectifia-t-il.

Puis il prit un ton plus posé.

— Je me suis souvent demandé comment mon père avait pu vivre avec une femme qui n'éprouvait à son égard que de la reconnaissance pour ce qu'il lui offrait. Je le trouvais faible. Et puis j'ai mieux compris quand tu as fait irruption dans ma vie... Insidieusement, tu as pris de plus en plus de place dans mon cœur. Je savais pourtant que jamais mes sentiments ne seraient payés de retour, ton seul but étant de mener une existence dorée.

— C'est faux ! s'écria-t-elle entre deux sanglots.

— Je me suis dit alors que la philosophie de mon père avait du bon, poursuivit-il. Tu aurais sûrement été une épouse correcte, comme ma mère. Quant à l'amour...

— Franck...

— Certaines femmes le remplacent par l'argent, coupa-t-il. Cependant, t'entendre parler de sentiments alors que, seul, ton bien-être matériel te préoccupe, c'est trop ! J'ai accepté tous tes mensonges, mais celui-là est le seul que je ne puisse pas entendre.

— Je ne mens pas, protesta-t-elle. Je t'assure que...

— Tu es une comédienne-née. Tu ne cesses de raconter des histoires. D'abord, tu prétendais être la petite amie d'Aiden.

— Non ! J'étais son alibi !

Sans même l'écouter, il poursuivit :

— Ensuite j'ai appris que tu étais une habituée des casinos. Puis c'est ta grand-mère qui est devenue une joueuse. Tu ne cesses de modifier tes récits selon ce qui t'arrange. Maintenant que tu te rends compte que le mariage n'aura pas lieu, tu prétends m'aimer. Et quoi encore ?

— Je... je t'aime, balbutia-t-elle avec désespoir.

— Tu aurais pu le dire avant si c'était la vérité. Comment veux-tu qu'un homme sensé puisse croire à tes histoires ?

Il retourna à la voiture en la sommant de le suivre.

Elle continua de pleurer sans bruit sur tout ce qui aurait pu être et ne serait jamais.

Ils ne tardèrent pas à arriver devant chez elle.

Courtois malgré tout, Franck sortit la valise du coffre, tandis qu'elle cherchait ses clés dans son sac.

— Alors ? s'impatienta-t-il. Tu ouvres ?

— N'attends pas. Va à l'hôpital. Tu perds du temps.

— Pourquoi n'entres-tu pas ?

— Je ne trouve pas mes clés.

Il leva les yeux au ciel.

— C'est ta faute, l'accusa-t-elle. Si tu m'avais laissé le temps de faire mes bagages...

— La prochaine fois, je serai plus patient.

Ignorant son sarcasme, elle décida de passer par-derrière.

— Il y a une vitre au-dessus de la porte de la buanderie, expliqua-t-elle. Je vais la casser et...

— Avec quoi vas-tu la casser ? Avec ta main ?

Il contourna la maison avec elle, et après avoir ôté sa veste, il l'enroula autour de son bras pour donner un violent coup de poing dans la vitre qui vola en éclats. Puis il ouvrit la porte.

— N'importe qui peut entrer chez toi, critiqua-t-il. Tu devrais faire installer des volets ou des barreaux.

— Ne me dis pas que ma sécurité t'intéresse ?

Elle ôta sa bague et la lui tendit.

— Tiens.

— Garde-la.

— Je n'en veux pas, répliqua-t-elle. Et puis ce rubis doit rester dans ta famille.

Dans un nouvel accès de colère, il s'empara rageusement de la bague et la lança à travers le jardin.

— Que veux-tu que j'en fasse à présent ?

12.

Vêtue d'un tailleur strict, Tabatha regagnait son domicile.

Elle semblait tout à fait normale, et nul n'aurait pu deviner combien elle souffrait intérieurement.

Un soupir gonfla sa poitrine.

Elle n'avait demandé que six mois... Six mois pour vivre dans l'ombre d'un homme, six mois pour tenter de lui démontrer que l'amour pouvait être merveilleux.

En passant devant l'épicerie, elle se souvint qu'elle devait acheter du lait. Ce n'était pas grand-chose, mais les tâches les plus banales lui devenaient parfois insurmontables.

« Je fais un peu de dépression. Tout s'arrangera avec le temps », se rassura-t-elle.

Son mariage avorté remontait à deux semaines et elle n'avait eu aucune nouvelle des Chambers, ni même d'Aiden.

En lisant les journaux, elle avait appris que Jeremy Chambers avait subi avec succès un quadruple pontage. Mais ne sachant comment une manifestation de sa part serait reçue, elle n'avait pas osé lui envoyer une carte pour lui souhaiter un prompt rétablissement.

Elle trouva dans la boîte quelques lettres qu'elle feuilleta avec indifférence... jusqu'au moment où elle reconnut l'écriture de Franck sur l'une d'entre elles.

Son cœur fit un bond dans sa poitrine, et elle s'empressa de décacheter l'enveloppe. Elle contenait un chèque et une lettre d'une désolante brièveté :

« Comme convenu... Franck. »

Il n'aurait pas pu mieux lui signifier que tout était bien fini entre eux.

Accablée, elle baissa la tête et s'étonna de constater que cette fois ses yeux demeuraient secs. Sans doute avait-elle trop pleuré depuis son retour de Lorne...

Sans même prendre la peine de vérifier sa tenue, elle se rendit à la banque.

Lorsqu'elle présenta un bordereau de retrait en liquide, le caissier haussa les sourcils.

— Pour une somme pareille, nous avons besoin d'être prévenus vingt-quatre heures à l'avance, l'avisa-t-il. Il n'est pas certain que nous l'ayons dans les coffres.

— Je peux avoir mon argent maintenant, oui ou non ?

— Je vais me renseigner, si vous voulez bien patienter...

— Bien, mais tâchez de faire vite.

Une demi-heure plus tard, une petite fortune dans son sac, elle arrivait devant un immeuble entièrement occupé par le siège social des sociétés Chambers.

Elle savait que le bureau de Franck se trouvait au sommet, et ce fut d'un pas déterminé qu'elle traversa le hall avant d'emprunter l'un des ascenseurs.

Au dernier étage, elle fut arrêtée tout d'abord par un huissier, puis par deux secrétaires. Ils la reconnurent aussitôt, ses photos ayant été publiées dans la presse suite à l'annonce de ses fiançailles avec Franck, et la laissèrent passer.

Franck était assis derrière un bureau ultramoderne de verre et inox. Il leva les yeux à son entrée, et curieusement, il ne parut pas surpris de la voir.

— Bonjour, dit-il. Ça va ?

— Oui, merci. Je sors du théâtre : j'ai beaucoup de travail en ce moment.

— Tu répètes pour un nouveau spectacle ?

— Non, je suis au guichet des réservations, maintenant. Je vends des billets.

Elle eut un rire sans joie.

— Ça fait plus sérieux que danseuse.

Il la dévisagea.

— Tu as l'air... différente.

Elle ne ressemblait guère à la flamboyante Tabatha qu'il avait connue. Jamais elle n'aurait porté, autrefois, un tailleur aussi strict comme celui qu'elle mettait pour travailler à la location. De plus, ses cheveux étaient réunis sur sa nuque par un élastique et son visage était dépourvu de maquillage.

— Que veux-tu, soupira-t-elle. On change, on vieillit, on apprend à vivre.

— Tu n'as pas été engagée pour un nouveau spectacle ?

— Non.

— Si c'est parce que tu as dû arrêter pendant quelque temps à cause de moi, je peux...

— Aller trouver le directeur du théâtre ? l'interrompit-elle.

— Quelque chose comme ça. Il n'y a aucune raison pour que ta carrière souffre de ce qui s'est passé entre nous.

Elle esquissa une moue désabusée.

— Ma carrière ! Comme tu me l'avais délicatement fait remarquer à plusieurs reprises, ce n'était pas grand-chose. De toute manière, ça n'a plus d'importance. J'espère pouvoir ouvrir l'année prochaine ou dans deux ans ma propre école de danse.

Elle posa le chèque qu'elle venait de recevoir sur son bureau.

— Il est arrivé aujourd'hui.

— Tu n'as pas rompu le contrat, répondit-il sans même y jeter un coup d'œil. Par conséquent, cette somme te revient de droit.

— Je n'en veux pas.

Il haussa les épaules avec une suprême indifférence.

— A ta guise.

Mais lorsqu'elle sortit de son sac une épaisse liasse de billets qu'elle plaça devant lui, il afficha sa surprise.

— Qu'est-ce c'est ?

— A ton avis ? Tu ne sais même plus reconnaître des dollars ? Cet argent correspond exactement au montant de ton premier chèque. Voilà, je ne te dois plus un sou. Nous sommes quittes, décréta-t-elle en tournant les talons.

— Tabatha ! Attends ! s'écria-t-il. Comment peux-tu te permettre de me donner tout cet argent ?

— Ma grand-mère a vendu sa maison et m'a remboursée.

— Et ton école de danse ?

— Je l'ouvrirai bien un jour. Peut-être pas aussi vite que je le souhaitais, mais j'y arriverai.

— Pourquoi une somme pareille en liquide ? Pourquoi pas un chèque ?

— Pour que tu ne m'humilies pas davantage en le déchirant aussitôt.

— Tu es bien agressive... Tout ça n'était qu'une comédie, tu le savais aussi bien que moi.

— Il faut croire que j'ai été naïve pour deux, rétorqua-t-elle.

Quand elle sortit, et qu'il ne se donna même pas la peine de la retenir, elle comprit, cette fois, que tout était fini.

Elle attendait l'ascenseur quand les portes s'ouvrirent sur Aiden.

— Tabatha ! s'exclama-t-il stupéfait. Que fais-tu là ?

— Je suis venue rendre quelque chose à Franck.

— Ah, bon ?

Un peu mal à l'aise, il secoua ses cheveux ruisselants.

— Je te préviens, il pleut des cordes.

— Je vois.

Elle réussit à sourire.

— Il paraît que ton père va mieux ?

— Il a récupéré tellement vite que même les médecins n'en reviennent pas.

Il l'entraîna à l'écart, loin du flot incessant des employés et des visiteurs.

— Il faut que je te dise... Figure-toi que mon père a toujours su, pour moi.

Comme Tabatha ne semblait pas comprendre, il précisa :

— Il savait que j'étais gay !

— Et ta mère ? demanda-t-elle stupéfaite. Elle le sait ?

— Oui, et depuis longtemps, mais elle n'osait pas lui en parler, à cause de son cœur. Elle craignait que le choc ne lui soit fatal.

Il éclata de rire.

— Et il savait ! répéta-t-il. Quant à ma mère, elle semble ravie que tout soit maintenant révélé au grand jour. Il paraît qu'il est devenu à la mode, dans les milieux snobs, d'avoir un fils homosexuel.

— Vraiment ?

— Ça lui donne un sujet de conversation au tennis-club et dans ses soirées de bridge.

Son visage s'assombrit.

— Ma pauvre Tabatha, si tu savais comme je m'en veux, parfois...

— Pourquoi ?

— Tout va bien pour tout le monde. Mon père a encore de belles années devant lui, je n'ai plus à cacher mon homosexualité, et dans toute cette histoire, tu es la seule perdante. Tu es malheureuse, n'est-ce pas ? Tu l'aimais ?

Elle fut incapable de conserver son sourire. Une première larme perla, puis une seconde...

Aiden la prit par les épaules.

— Ma pauvre chérie ! murmura-t-il.

— Pardon, je... je suis ridicule, je... je ne devrais pas me donner en spectacle, balbutia-t-elle.

— C'est moi qui suis désolé de t'avoir entraînée dans une galère pareille... J'avais pourtant essayé de te prévenir. Je t'avais dit qu'il était dangereux...

— Et qu'il était le genre d'homme à laisser une femme sur le bord du chemin après l'avoir réduite en miettes, termina-t-elle. Tu avais raison : je suis en miettes.

— Tu t'en remettras, tu es forte, tu surmontes toujours les obstacles.

— Pas cette fois, je le crains.

— J'ai essayé de lui parler, confia-t-il. Je lui ai dit que tu étais une fille sensationnelle, mais il ne m'a pas écouté.

— A quoi t'attendais-tu ? répondit-elle avec amertume.

— Je pourrais peut-être...

— N'essaie pas d'arranger les choses, ça ne servirait à rien. Il reste persuadé que je n'en ai jamais voulu qu'à son argent.

Elle s'essuya les yeux.

— De toute manière, c'est fini, maintenant.

— Et nous ? demanda-t-il avec inquiétude. On est toujours amis ?

— Je me le demande... Je ne t'ai pas beaucoup vu, ces derniers temps.

Il parut gêné.

— J'avais peur de tes réactions.

Elle eut un rire étranglé.

— Bien sûr que nous sommes toujours amis...

Elle l'embrassa tendrement sur la joue.

— Mais je préfère ne pas te voir pendant un certain temps.

— Tabatha...

— Tu me rappelles trop ton frère et... et je voudrais essayer de l'oublier. Tu peux comprendre ?

— Plus ou moins, mais tu vas me manquer. Combien de temps te faudra-t-il avant de redevenir toi-même ?

— Si seulement je le savais... Dès que je me sentirai mieux, je te téléphonerai.

— Dans une semaine ? Un mois ? Un an ?

— Si seulement je le savais ! répéta-t-elle en se dirigeant vers les ascenseurs.

— Tabatha, il tombe des cordes. Je vais demander à un chauffeur de te ramener chez toi.

— J'aime autant marcher. Et puis comme ça, personne ne me verra pleurer ! ajouta-t-elle avant que les portes ne se referment sur elle.

Aiden fit les cent pas dans le couloir, indécis. Puis il prit une profonde inspiration et entra dans le bureau de son frère.

— Je viens de voir Tabatha sortir d'ici, en larmes, dit-il.

Franck demeura impassible.

— Elle vient de me rendre la totalité de l'argent que je lui avais donné.

Puis dans un rire sarcastique, il enchaîna :

— Perdre une somme pareille... Il y a de quoi pleurer.

Son attitude n'amusa pas son cadet.

— Tu ne comprends rien à rien.

— J'avoue que je ne la comprendrai jamais. Elle obéit à une logique qui n'appartient qu'à elle. Pourquoi a-t-elle accepté ce contrat si ce n'était pas pour garder l'argent ?

— Ce que tu peux être stupide, par moments !

Aiden retira sa veste trempée et la secoua violemment. Lui d'ordinaire toujours de bonne humeur paraissait fou de rage.

— Que se passe-t-il ? s'étonna son aîné. Tu es en colère ?

— Tu ne comprends vraiment rien à rien ! répéta Aiden. Tu veux connaître les raisons qui ont poussé Tabatha à se lancer dans une telle aventure ?

144

— Je le voudrais bien.

— Par amour, tout simplement, triple abruti ! Oui, elle t'aime ! Et l'on se demande bien pourquoi elle aime un imbécile comme toi.

— On avait conclu un marché, s'entêta Franck. Elle a fait ça pour de l'argent.

Aiden feuilleta la liasse de dollars d'un doigt négligent.

— Alors pourquoi t'as-t-elle rendu ton argent ? Et pourquoi pleurait-elle en sortant d'ici ? Ah, si tu l'avais vue avec ses cheveux en désordre, sans maquillage…

— Elle a toujours les cheveux ébouriffés.

— Pas à ce point. Et je ne l'ai jamais vue sans maquillage. Je remarque ces détails, moi.

— Parce que tu es gay ?

Aiden leva les yeux au ciel.

— Parce que je ne suis pas aveugle.

Il y eut un long silence.

— Tu crois que Tabatha m'aime vraiment ? demanda enfin Franck.

— Pas possible ! s'exclama son frère. Ses yeux s'ouvrent enfin !

— Que dois-je faire, à ton avis ?

— Tu es assez grand pour le savoir. Ce n'est tout de même pas à ton petit frère de te le dire.

Lorsque Tabatha arriva chez elle, la pluie cessait juste de tomber. Trempée jusqu'aux os, elle traversa le jardin. Un rayon de soleil perça entre les nuages et fit briller un objet dans l'herbe.

Le rubis !

A l'instant même où elle se baissa pour le ramasser, Franck l'appelait. Elle laissa échapper une exclamation de stupeur, ne s'attendant pas à le revoir.

— Je viens de la retrouver tout à fait par hasard, dit-elle maladroitement en lui montrant la bague maculée de boue.

Comme il demeurait silencieux, elle tenta de faire un peu d'humour.

— Je vais la porter au Crédit Municipal, suggéra-t-elle. Je pense qu'on devrait m'en donner une belle somme. Qu'en penses-tu ?

— Arrête de dire des bêtises. Regarde-moi.

— Pourquoi ? riposta-t-elle avec rudesse.

— Je sais que tu m'aimes.

Elle ne répondit rien.

— Je sais que je t'aime.

Toujours pas de réponse.

— Tu ne dis rien ? s'inquiéta-t-il.

— Que veux-tu que je dise ? Quand je t'ai dit que je t'aimais, tu m'as répondu que tu m'avais aimée, mais que tu ne m'aimais plus. Il n'y a rien à ajouter.

— Je t'aime, Tabatha. Mais j'ai eu peur. Peur d'être de nouveau meurtri. Peur de découvrir que tout cela n'était que comédie...

Il soupira.

— J'étais prêt à faire face à un mariage du genre de celui de mes parents. Et puis tu es arrivée avec ta crinière flamboyante, tes yeux trop clairs, ta personnalité vivante, vibrante...

Il baissa la tête.

— J'ai eu peur, redit-il. Tout cela était trop beau pour être vrai. Je me suis persuadé que tu ne t'intéressais qu'à l'argent, que tu ne cessais de mentir...

146

— Je ne suis ni menteuse ni joueuse. Quant à l'argent...

Elle haussa les épaules.

— Qu'est-ce que l'argent quand on peut avoir l'amour ?

— Oui, tu as raison. Qu'est-ce que l'argent quand on peut avoir l'amour...

Il lui prit la bague des mains, s'agenouilla dans la terre détrempée et la lui passa au doigt.

— Tabatha, je t'aime. Veux-tu m'épouser ? Même si je suis le plus stupide des hommes ?

Elle se remit à pleurer.

— Veux-tu m'épouser ? demanda-t-il de nouveau.

— Je t'ai déjà dit « oui ».

— C'était censé être temporaire. Aujourd'hui, je te demande de devenir ma femme jusqu'à ce que la mort nous sépare.

— Je t'ai déjà dit « oui », répéta-t-elle. Et quand je dis « oui », c'est pour toujours.

Épilogue

— Que penses-tu de tout ça, mon petit Danny ? demanda Aiden en prenant maladroitement le bébé dans les bras. Tu ne trouves pas que ton grand-père et ta grand-mère ont passé l'âge de jouer les amoureux ?

Soudain, il se pétrifia.

— Tabatha, au secours, ton fils est tout rouge...

Tout en riant, elle lui prit l'enfant des bras.

— Je suis si contente pour tes parents, dit-elle. Il leur a fallu longtemps avant de se rendre compte qu'ils étaient faits l'un pour l'autre... Tu vois, tout arrive.

Elle admira de nouveau le tableau qu'il venait de lui apporter.

— Il est sublime, dit-elle. Je ne sais comment te remercier.

— Je ne voulais pas vous faire de cadeau de mariage, mais tu vois, on en revient toujours aux traditions.

Il consulta sa montre.

— Il faut que je me sauve, j'ai rendez-vous avec un journaliste. Ma nouvelle exposition a pas mal de succès.

— Le tableau que tu viens de nous offrir vaudra bientôt une fortune, s'amusa gentiment Franck.

Une fois Aiden parti, Tabatha monta changer Danny, et Franck la rejoignit dans la chambre du bébé.

— Il dort déjà, murmura-t-elle en regardant son fils avec émotion. Il faut dire que c'était un grand jour pour un si petit bonhomme.

— Un baptême, la présentation à tous les grands-parents et arrière-grands-parents...

— Ton père semblait si heureux !

— Ta grand-mère aussi.

— Elle avait besoin de pouvoir s'appuyer sur un compagnon solide, dit-elle d'un air pensif. Ce que je pouvais lui dire n'avait aucune influence sur elle. En revanche, dès que Bruce ouvre la bouche, elle paraît fascinée.

— Elle a eu de la chance de trouver quelqu'un comme lui.

— Oh, oui ! Je crois qu'elle a oublié le chemin du casino.

— Espérons-le, répondit-il, toujours méfiant.

Mais Tabatha demeurait optimisme.

— Bruce saura la retenir.

Il la prit tendrement par la taille.

— Viens. Danny dort, et il reste un cadeau à ouvrir en bas.

— Nous ne les avions pas tous ouverts ?

— Pas celui-ci, dit-il en lui tendant un écrin en velours.

Elle fit jouer le fermoir et découvrit un stupéfiant collier de rubis. Les pierres étincelaient sur deux fines chaînes en or.

— Quelle merveille ! s'extasia-t-elle. On dirait qu'il y en a des centaines...

— Seulement quarante, dit-il. Mon grand-père l'avait commandé pour ma grand-mère, à l'occasion de leur quarantième anniversaire de mariage.

Tabatha se haussa sur la pointe des pieds pour nouer les bras autour du cou de son mari.

— Tu es en avance de trente-neuf ans.

— Je trouvais trop dommage de le laisser dans un coffre.

Il le lui passa et l'entraîna devant une glace.

Ils contemplèrent le couple magnifique qu'ils formaient tous deux, alors que les quarante pierres scintillaient au cou de Tabatha, tout comme l'énorme rubis sombre qui étincelait à son doigt.

Quand Franck l'étreignit, elle s'abandonna à lui.

— Je t'aime, murmura-t-il.

— Je t'aime, moi aussi, murmura-t-elle en lui tendant ses lèvres.

Le nouveau visage
de la collection Or

◆

AMOURS D'AUJOURD'HUI

Afin de mieux exprimer sa modernité et de vous séduire encore davantage, votre collection Or a changé de couverture et de nom depuis le 1er mars 1995.

Rassurez-vous, les romans, eux, ne changent pas, et vous pourrez retrouver dans la collection **Amours d'Aujourd'hui** tous vos auteurs préférés.

Comme chaque mois, en effet, vous y attendent des héros d'aujourd'hui, aux prises avec des passions fortes et des situations difficiles...

COLLECTION
AMOURS D'AUJOURD'HUI :
Quand l'amour guérit des blessures de la vie...

Chère lectrice,

Vous nous êtes fidèle depuis longtemps?
Vous venez de faire notre connaissance?

C'est pour votre plaisir que nous avons
imaginé un rendez-vous chaque mois
avec vos auteurs préférés, vos
AUTEURS VEDETTE dans les
collections Azur et Horizon.

Les AUTEURS VEDETTE vous
donneront rendez-vous pour de
nouveaux livres vedette.

Pour les reconnaître, cherchez
l'étoile... Elle vous guidera!

Éditions Harlequin

HARLEQUIN

LE FORUM DES LECTEURS ET LECTRICES

CHERS(ES) LECTEURS ET LECTRICES,

VOUS NOUS ETES FIDÈLES DEPUIS LONGTEMPS?

VOUS VENEZ DE FAIRE NOTRE CONNAISSANCE?

SI VOUS AVEZ DES COMMENTAIRES, DES CRITIQUES À FORMULER, DES SUGGESTIONS À OFFRIR, N'HÉSITEZ PAS... ÉCRIVEZ-NOUS À:

> LES ENTERPRISES HARLEQUIN LTÉE.
> 498 RUE ODILE
> FABREVILLE, LAVAL, QUÉBEC.
> H7R 5X1

C'EST AVEC VOS PRÉCIEUX COMMENTAIRES QUE NOUS ALLONS POUVOIR MIEUX VOUS SERVIR.

DE PLUS, SI VOUS DÉSIREZ RECEVOIR UNE OU PLUSIEURS DE VOS SÉRIES HARLEQUIN PRÉFÉRÉE(S) À VOTRE DOMICILE, NE TARDEZ PAS À CONTACTER LE SERVICE D'ABONNEMENT; EN APPELANT AU (514) 875-4444 (RÉGION DE MONTRÉAL) OU 1-800-667-4444 (EXTÉRIEUR DE MONTRÉAL) OU TÉLÉCOPIEUR (514) 523-4444 OU COURRIER ELECTRONIQUE: AQCOURRIER@ABONNEMENT.QC.CA OU EN ÉCRIVANT À:

> ABONNEMENT QUÉBEC
> 525 RUE LOUIS-PASTEUR
> BOUCHERVILLE, QUÉBEC
> J4B 8E7

MERCI, À L'AVANCE, DE VOTRE COOPÉRATION.

BONNE LECTURE.

HARLEQUIN.

VOTRE PASSEPORT POUR LE MONDE DE L'AMOUR.

<u>COLLECTION HORIZON</u>

Des histoires d'amour romantiques qui vous mènent au bout du monde!

Découvrez la passion et les vives émotions qu'apportent à la Collection Horizon des auteurs de renommée internationale!

Captivantes, voire irrésistibles, ces histoires d'amour vous iront assurément droit au coeur.

Surveillez nos trois nouveaux titres chaque mois!

GEN-H-R

HARLEQUIN

COLLECTION
ROUGE PASSION

- Des héroines émancipées.
- Des héros qui savent aimer.
- Des situations modernes et réalistes.
- Des histoires d'amour sensuelles et provocantes.

LAISSEZ-VOUS TENTER
par 3 titres irrésistibles
cháque mois.

♉ ♊ ♋ ♌ ♍

69 **L'ASTROLOGIE EN DIRECT**
TOUT AU LONG
DE L'ANNÉE.

(France métropolitaine uniquement)
Par téléphone 08.92.68.41.01
0,34 € la minute (Serveur SCESI).

Composé et édité par les
*éditions*Harlequin
Achevé d'imprimer en mai 2005

BUSSIÈRE
GROUPE CPI

à Saint-Amand-Montrond (Cher)
Dépôt légal : juin 2005
N° d'imprimeur : 51038 — N° d'éditeur : 11330

Imprimé en France